Luna

ÉLODIE TIREL

LE COMBAT DES DIEUX

ÉDITIONS
MICHEL
QUINTIN

Catalogage avant publication de Bibliothèque et Archives
nationales du Québec et Bibliothèque et Archives Canada

Tirel, Élodie

   Luna

   Sommaire: 1. La cité maudite -- 2. La vengeance des elfes noirs
-- 3. Le combat des dieux.

Pour les jeunes.

   ISBN 978-2-89435-430-8 (v. 1)
   ISBN 978-2-89435-431-5 (v. 1)
   ISBN 978-2-89435-432-2 (v. 2)
   ISBN 978-2-89435-433-9 (v. 3)

   I. Titre. II. Titre: La cité maudite. III. Titre: La vengeance des
elfes noirs. IV. Titre: Le combat des dieux.

PZ23.T546Lu 2009   j843'.92   C2009-940443-5

Illustrations de la page couverture : Boris Stoilov
Illustration de la carte : Élodie Tirel
Infographie : Marie-Ève Boisvert, Ed. Michel Quintin

 Le Conseil des Arts du Canada
The Canada Council for the Arts

Patrimoine   Canadian
canadien   Heritage

La publication de cet ouvrage a été réalisée grâce au soutien
financier du Conseil des Arts du Canada et de la SODEC.

De plus, les Éditions Michel Quintin bénéficient de l'aide
financière du gouvernement du Canada par l'entremise du
Programme d'aide au développement de l'industrie de
l'édition (PADIÉ) pour leurs activités d'édition.

Gouvernement du Québec – Programme de crédit d'impôt
pour l'édition de livres – Gestion SODEC

ISBN 978-2-89435-433-9
Dépôt légal - Bibliothèque et Archives nationales du Québec, 2009
Dépôt légal - Bibliothèque et Archives Canada, 2009

© Copyright 2009

Éditions Michel Quintin
C.P. 340, Waterloo (Québec)
Canada J0E 2N0
Tél. :   450 539-3774
Téléc. : 450 539-4905
www.editionsmichelquintin.ca

0 9 - G A - 1

Imprimé au Canada

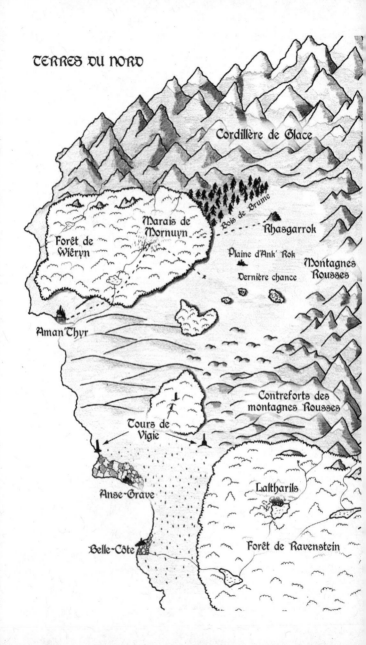

TERRES DU NORD

Cordillère de Glace

Forêt de Wiêryn

Marais de Mornuyn

Bois de Brume

Rhasgarrok

Plaine d'Ank' Rok

Dernière chance

Montagnes Rousses

Aman'Thyr

Contreforts des montagnes Rousses

Tours de Vigie

Laltharils

Anse-Grave

Forêt de Ravenstein

Belle-Côte

PROLOGUE

Il est dit qu'un jour viendra,
où la mort, contre toi, ne pourra plus rien.
Car à la déesse, deux enfants tu offriras,
Envoyées au cœur du Royaume divin.
Deux sœurs, filles de l'Invocateur,
L'une d'argent, l'une d'obsidienne,
Séparées par la haine et la peur,
Que la puissante Lloth fera siennes.
À affronter Abzagal, l'aînée sera prête
Et sa Pierre de Vie, elle dérobera,
Pour éviter le sacrifice de la cadette.
Lloth, la reine des dieux deviendra.
Et, dans son extrême clémence,
De la vie éternelle, elle te récompensera.
De survivre, ce sera ton unique chance,
Sinon, par le poignard tu périras...

Matrone Zesstra relisait pour la centième fois la prédiction que l'Oracle avait annoncée lors de son intronisation.

Son excitation était à son comble et les mots qu'elle connaissait par cœur se bousculaient dans sa tête, faisant chavirer son cœur d'une indicible joie. La grande prêtresse savait pertinemment que des poignards la guettaient dans l'ombre, mais les âmes maudites qui ourdissaient des complots n'auraient bientôt plus aucune prise sur elle. Avant peu, plus aucune arme ne pourrait trancher le fil de sa précieuse vie. Elle serait bientôt immortelle!

Un sourire malsain déforma son visage.

Si elle avait su qu'une simple novice lui offrirait un jour ce qu'elle avait toujours attendu!

L'avenir pouvait parfois se révéler tellement imprévisible...

Il y avait cinq jours de cela, la vieille matriarche avait envoyé Assyléa à Laltharils, caressant l'espoir que la jeune novice lui ramènerait son unique arrière-petite-fille, celle qu'annonçait la prophétie, celle qui était censée délivrer les drows de leur existence misérable en portant la gloire de la déesse à la surface.

Matrone Zesstra savait parfaitement qu'Assyléa ne ferait jamais une bonne clerc, mais elle la savait intelligente et son don de persuasion était un atout de taille. Elle avait donc voulu lui offrir une chance de racheter sa liberté.

Hélas, la grande prêtresse avait commis une terrible erreur en confiant une telle mission à une simple débutante. La pauvre fille avait échoué sur toute la ligne... osant lui amener une vulgaire elfe argentée au visage noirci de suie!

Lorsqu'elle avait découvert la vérité, une profonde déception avait submergé Matrone Zesstra. Cependant, la seule émotion qu'elle avait laissé transparaître avait été une fureur extrême.

Assyléa devait payer!

Si elle avait accompli sa quête, la novice aurait emmené avec elle dix adolescentes promises au clergé de Lloth. Son échec les avait toutes condamnées... Les dix petites recrues seraient sacrifiées le soir même à la déesse, tandis qu'Assyléa finirait ses jours en prison, l'âme éternellement rongée par le remords.

Quant à cette Luna, son prénom la prédisposait à devenir une offrande de choix lors de la prochaine pleine lune! Toutefois, avant de prononcer sa sentence fatale contre l'adolescente argentée, un étrange élan de curiosité avait poussé Matrone Zesstra à s'interroger sur l'identité de sa victime. Sans doute un pressentiment inspiré par Lloth elle-même, car... quel ne fut pas le choc de la grande prêtresse en apprenant que cette adolescente était la fille d'Elkantar!

Sa fille aînée!

Matrone Zesstra avait d'abord pensé que son ancien Invocateur n'était finalement qu'un ignoble traître. Sa première-née aurait en effet dû intégrer le clergé de la déesse Araignée, mais apparemment, le Mage noir avait préféré lui cacher l'existence de cette enfant à la peau laiteuse comme celle de sa traînée de mère! Puis, la matriarche s'était ravisée : Elkantar avait bien trop peur d'elle, jamais il n'aurait osé la trahir.

Matrone Zesstra était intimement convaincue que son ancien Invocateur n'avait jamais été mis au courant de la naissance de Luna. L'esclave dont il s'était entiché l'avait trompé, craignant sans doute que l'apparence de ce bébé ne la condamne à une mort certaine... D'ailleurs, Elkantar n'avait-il pas rempli son devoir en lui offrant, il y a dix ans, une enfant à la peau d'obsidienne et au regard d'aigue-marine, persuadé qu'elle était la première fille de sa lignée? .

Sylnor. *Perle de Nuit.*

Matrone Zesstra avait toujours su que cette gamine jouerait un rôle primordial dans sa destinée, mais maintenant qu'elle détenait

Luna, la fameuse prédiction pourrait enfin se réaliser :

Deux sœurs, filles de l'Invocateur,
L'une d'argent, l'une d'obsidienne.

Tout concordait!

La présence de cette elfe argentée au cœur du Monastère était inespérée. Une vraie bénédiction! Enfin, heureusement qu'elle n'était pas la fille de Darkhan... Certes, la prophétie annonçant la rédemption des drows ne se réaliserait pas – du moins, *pas encore* –, mais Matrone Zesstra deviendrait immortelle et rien n'avait plus d'importance à ses yeux.

Assyléa avait accompli un véritable miracle, en fin de compte. Hélas, jamais elle ne le saurait! Cette idiote croupirait dans les geôles sordides du Monastère, ignorant l'aide inestimable qu'elle avait offerte à la grande prêtresse.

Ce paradoxe cruel avait beaucoup amusé la vieille matriarche.

Le jour suivant, Matrone Zesstra se leva aux aurores pour organiser la cérémonie de communion avec la déesse dans la pièce la plus secrète de sa forteresse, sa chapelle privée. Elle s'agenouilla devant l'effigie de Lloth, gigantesque araignée velue au visage d'ange noir, et pendant de longues heures, elle resta prostrée, projetant son âme très loin de Rhasgarrok, au plus profond des entrailles de la Terre, jusque dans l'antre de la déesse.

Sa transe terminée, la grande prêtresse se releva, exténuée mais ravie. Elle fit convoquer sur-le-champ les deux sœurs dans sa chapelle, car Lloth attendait désormais ses invitées...

Pour l'occasion, la matriarche avait revêtu une robe d'un rouge vif qui faisait flamboyer ses prunelles ardentes. Un masque rigide figeait ses traits, ne laissant rien soupçonner de l'intense jubilation qu'elle éprouvait intérieurement.

Luna arriva en premier. Une somptueuse robe noire mettait son teint diaphane en valeur. Ses cheveux avaient été tirés en arrière – dégageant son doux visage – et nattés en une longue tresse d'argent. L'adolescente, la tête haute, fit quelques pas avant de planter ses yeux en amande dans la lave en fusion de ceux de la grande prêtresse, comme un défi silencieux. Si cette attitude arrogante troubla Matrone Zesstra, elle n'en laissa rien paraître en l'accueillant :

— Bienvenue dans ma chapelle privée! s'exclama-t-elle en ouvrant les bras. Comme tu es... belle! La déesse devrait apprécier mon cadeau! Enfin, *mes* cadeaux, plutôt...

La grande prêtresse ne put retenir un gloussement nerveux, mais se reprit aussitôt :

— Avance! Et place-toi au centre de la toile gravée sur le sol. Vite!

Luna la foudroya du regard, mais obéit sans rechigner. Elle semblait avoir compris que, malgré ses pouvoirs, elle n'était pas de taille à affronter la puissance que Lloth conférait à la sorcière.

— Bien. Maintenant, faites entrer Sylnor! s'écria Matrone Zesstra.

La jeune drow pénétra dans la chapelle, encadrée de deux gardiennes. Sa longue natte argentée dansait sur sa robe blanche, offrant un contraste saisissant avec sa peau sombre comme la nuit. Elle aurait pu être très belle si ses yeux gorgés de haine n'avaient eu la dureté de la glace.

— Place-toi ici! ordonna Matrone Zesstra en indiquant la toile d'un geste du menton.

Puis la matriarche prit une profonde inspiration, savourant l'intensité du moment.

— Inutile de faire les présentations, je présume... déclara-t-elle finalement, un sourire mauvais aux lèvres. Luna, tu auras reconnu ta sœur, n'est-ce pas?

L'adolescente sursauta, ouvrant des yeux ronds.

Une joie sadique transporta d'aise Matrone Zesstra.

— Comment? s'exclama-t-elle, faussement surprise. Ambrethil ne t'a jamais révélé qu'elle avait eu une autre fille après toi? Oh, quelle vilaine cachottière!

Voir cette gamine pleine de morgue et de suffisance devenir livide et chanceler fit exulter la cruelle matriarche. Elle aurait aimé en rajouter, mais le temps pressait. Or Lloth détestait attendre...

— Oh, splendide et vénérée déesse, s'écria alors la grande prêtresse en élevant la voix avec emphase. Accepte ces offrandes dignes de ton prestige et de ta grandeur. Que ces jeunes filles descendent dans ton antre pour servir ta gloire!

Alors, dans un chuintement à peine perceptible, la toile stylisée dessinée sur le sol d'obsidienne s'effaça sur un gouffre béant d'obscurité.

D'un coup, les adolescentes disparurent, aspirées dans l'immensité des ténèbres.

Leurs hurlements de frayeur furent couverts par les spasmes de rire de Matrone Zesstra.

1

Halfar, incrédule, regardait le grand lit vide.

Le lit dans lequel, deux secondes à peine, se tenait encore la jeune elfe noire qu'il était chargé de surveiller. Miraculeusement récupérée par les guetteurs de la forêt après que son pégase de l'ombre avait été abattu en plein vol, Assyléa avait été conduite à l'infirmerie de Laltharils, où elle avait bénéficié des soins attentifs des guérisseurs elfes de lune. Dès son réveil, la jolie drow avait fait au garçon une troublante proposition afin de se venger de sa cousine. En effet, Luna n'aurait jamais dû révéler leur secret à Kendhal. Ensemble, sa cousine et cet elfe de soleil avaient sauvé l'esprit de Ravenstein alors que cela devait être *sa* mission. À lui, Halfar! Celle qui devait faire de lui un héros... au même titre que son frère aîné. Aussi, loin d'avoir digéré la trahison de Luna,

Halfar estimait-il qu'elle méritait une bonne leçon.

Mais voilà, les choses ne s'étaient pas passées comme prévu...

Dès que Luna s'était approchée de la convalescente drow, celle-ci l'avait brusquement attrapée d'une main assurée. De l'autre, elle avait touché l'étrange pierre rouge de son collier puis elle s'était volatilisée, comme par magie, entraînant l'adolescente avec elle!

Hésitant entre la colère et l'inquiétude, Halfar se précipita vers le lit. D'un geste plein de rage, il arracha les draps, se pencha pour regarder sous le lit, jeta un œil affolé derrière le fauteuil... Mais la chambre était désespérément vide!

Halfar sentit la panique le submerger.

Les derniers mots d'Assyléa résonnèrent alors dans sa tête : « Je regrette, Halfar, je me suis servie de toi... Mais je jure que je n'avais pas le choix. Vraiment pas... »

Alors, le garçon comprit avec horreur qu'Assyléa l'avait trompé!

Obnubilé par le piège qu'il voulait tendre à sa cousine, Halfar n'avait pas imaginé un seul instant qu'Assyléa chercherait à le manipuler pour s'emparer de Luna. En tant que sang-mêlé à la peau sombre, il s'était senti proche de la jeune drow. À la fois heureux et flatté qu'elle s'intéresse à lui... Assyléa semblait si douce, si sincère, si loin des horreurs qu'on racontait habituellement sur les elfes noirs. Sa beauté et son apparente fragilité avaient endormi la méfiance du garçon. Il lui avait fait confiance...

Il n'aurait jamais dû!

Sa cousine venait de disparaître et il était l'unique responsable de cette catastrophe.

Anéanti par la culpabilité, Halfar se mordit rageusement le poing jusqu'au sang.

Pourquoi Assyléa avait-elle enlevé Luna? Où l'avait-elle emmenée? Que lui voulait-elle? Allait-elle la tuer? Était-il déjà trop tard?

Devait-il s'enfuir et faire comme s'il ignorait où était passée sa cousine? Ou assumer sa tragique erreur?

Et surtout...

Qu'aurait fait Darkhan à sa place? Son frère que tout le monde trouvait parfait, ce sauveur que tous adulaient... Comment aurait-il agi en de pareilles circonstances?

Lorsque Halfar quitta l'infirmerie, sa décision était mûrement réfléchie.

Cela ne servait à rien de se lamenter indéfiniment, de laisser le remords le ronger comme de l'acide, de mentir ni de fuir ses responsabilités... Il avait commis une faute impardonnable et ne comptait pas se défiler. Cette fois, malgré ses quinze ans, il allait agir en homme et assumer ses actes.

Sous les yeux étonnés des infirmières, Halfar se précipita hors de l'infirmerie pour demander audience au roi Hérildur, son vénérable aïeul, afin de tout lui avouer. Il lui annoncerait aussi sa décision de partir à la recherche de Luna.

Et il reviendrait avec elle.

Ou ne reviendrait jamais plus...

Halfar n'eut aucune difficulté à se faire admettre dans les appartements de son grand-père. Son visage blême, son air paniqué suffirent à convaincre les gardes de l'urgence de sa requête. Et, comme Halfar n'était pas coutumier du fait, Hérildur accepta de le recevoir sur-le-champ.

— Entre, mon garçon! fit le vieux roi, dont la longue chevelure chenue encadrait un visage empreint de noblesse. Tu tombes bien... Je viens à l'instant d'envoyer mes cinq meilleurs soldats au marais de Mornuyn afin de vérifier si le mentor de notre petite Sylnodel est toujours en vie... Tu sais, celui qu'elle nomme le Maré-cageux... Elle t'en a sûrement parlé, n'est-ce pas? Lorsque tu verras ta cousine, tu pourras lui dire que j'ai tenu ma promesse. Mais dis-moi, Halfar, qu'est-ce qui t'amène ici? Notre jeune captive se serait-elle enfin réveillée?

Halfar se crispa.

Face au regard perçant de son grand-père, la confiance du garçon s'étiolait de seconde en seconde. Pourtant, si Halfar ne tenait pas les engagements qu'il s'était fixés, il savait qu'il ne pourrait jamais plus se regarder en face.

— Je t'écoute, mon garçon. Parle... l'encouragea Hérildur avec aménité.

Halfar prit une grande inspiration avant de se lancer.

— C'est à propos de la jeune fille drow, en effet... Il y a comme... un problème.

— Un *problème*? répéta le vieil elfe en fronçant les sourcils.

— Oui... Assyléa, c'est son nom, s'est réveillée hier. Nous avons parlé un peu et...

— Comment ça, *hier*? tonna soudain Hérildur d'une voix à faire s'écrouler le monde. Tu devais m'avertir dès son réveil! Pas discuter avec elle, ni faire connaissance! Juste courir me prévenir dès qu'elle ouvrirait un œil! Était-ce trop te demander?

Halfar se mit à trembler, mais ne faillit pas.

— Elle semblait soulagée d'être ici, se justifia-t-il. Elle était si douce et gentille... tellement inoffensive...

— Mais il s'agit d'une *prisonnière* et c'est au roi de juger la validité de ses confessions, pas à son petit-fils!

Hérildur semblait vraiment en colère. Soudain, il se figea, livide.

— Halfar... Pourquoi as-tu employé le passé en parlant d'elle? Ne me dis pas que...

— Hélas si, grand-père... avoua Halfar à contrecœur. Assyléa s'est enfuie. Enfin, plutôt... elle s'est évaporée. Comme par magie. Elle a touché le rubis de son collier et hop... disparue!

Hérildur ne prononça pas un mot, mais son regard glacial en disait long.

— Ce n'est pas tout, grand-père... murmura Halfar.

— Comment ça?

— Voilà, mais d'abord il faut que vous sachiez que c'est moi qui ai découvert la source empoisonnée, enfin... avec Luna. Nous avions prévu de la soigner tous les deux. C'était notre secret. Hélas, j'ai été injustement puni et ma cousine a demandé à ce... à Kendhal de l'aider à sauver l'esprit de Ravenstein. Elle m'a trahi, alors j'ai... j'ai voulu me venger.

À mesure qu'il parlait, Halfar sentait ses joues s'empourprer. Mais comme son grand-père ne l'interrompait pas, il poursuivit d'une seule traite.

— C'est en écoutant les confessions de la drow que j'ai eu une idée... En fait, Assyléa était la sœur cadette d'une certaine Oloraé que Darkhan et Luna avaient rencontrée à Rhasgarrok. Si j'ai bien compris, mon frère l'avait tuée en duel. Comme notre prisonnière ressemblait comme deux gouttes d'eau à son aînée, je voulais faire croire à Luna qu'il s'agissait de son fantôme... C'était très stupide, et mesquin aussi, je m'en rends compte maintenant. Mais sur le coup, ça m'a semblé être une farce amusante. Cependant, je dois vous avouer que la plaisanterie a mal tourné...

Il s'arrêta pour reprendre son souffle. Mais face au visage blême de son aïeul, il reprit :

— Lorsque Luna s'est approchée du lit, Assyléa lui a brusquement attrapé le poignet pour l'entraîner avec elle. En fait, elles ont disparu... toutes les deux!

Sa voix se brisa et il dut faire un effort incroyable pour retenir les larmes qui noyaient ses yeux.

Livide, bouche bée, le souffle coupé, le vieil elfe argenté faillit s'effondrer de désespoir.

Sa chère petite-fille, qu'il connaissait depuis si peu de temps et qui pourtant avait déjà conquis son cœur... Sa jolie Sylnodel, si fraîche et pleine de vie... L'imaginer entre les mains d'une sorcière drow était bien pire que n'importe quelle blessure. Hérildur avait déjà connu pareille souffrance, douze ans auparavant, lors de la disparition de sa fille cadette. Il avait bien cru l'avoir perdue à jamais. Or Ambrethil lui était revenue, avec – ou plutôt *grâce* à – Sylnodel... et voilà que l'adolescente disparaissait à son tour!

Mais quand les drows cesseraient-ils enfin de s'en prendre à ceux qui lui étaient chers?

Hérildur laissa alors exploser sa rage.

Une rage pleine de haine à l'encontre des elfes noirs.

Une rage pleine de déception envers son petit-fils.

— Je te faisais confiance, Halfar! Comment as-tu pu manquer à ce point de discernement? Comment as-tu pu te fier à cette drow, aussi manipulatrice et cruelle que les autres? N'as-tu donc jamais tiré aucune leçon des épouvantables récits dénonçant les sanglantes exactions des elfes noirs?

Aveuglé par la fureur et le chagrin, Hérildur leva la main sur Halfar, prêt à le gifler.

— Frappez-moi si vous pensez que cela peut apaiser votre souffrance, mais cela ne fera certainement pas revenir Luna! Croyez, grand-père, que je souffre autant que vous. Peut-être même plus, puisque je suis l'unique responsable de cette tragédie. Pourtant, j'ai décidé d'assumer mes actes et ma décision est irrévocable : je vais partir à Rhasgarrok avec Elbion et ramener ma cousine. J'y laisserai ma vie s'il le faut, mais je ne reviendrai pas sans Luna.

Le vieux roi, interloqué, retint son geste en ouvrant de grands yeux étonnés.

Sa colère retomba d'un coup. Jamais il n'avait entendu de propos aussi nobles et courageux dans la bouche d'Halfar. Il savait que le garçon jalousait les exploits de son aîné et aspirait à devenir lui aussi un héros.

L'occasion était peut-être venue de lui laisser faire ses preuves...

— Je suis d'accord! trancha Hérildur d'une voix grave. Mais à une condition...

— Tout ce que vous voudrez, grand-père! fit Halfar soulagé, en se courbant avec respect devant son vénérable aïeul.

— D'abord, tu vas prendre un sac contenant des provisions et quelques pièces d'or, sans oublier ton arc et une dague. Ensuite, tu trouveras Elbion et tu rejoindras les écuries où Jaspe, mon meilleur étalon, t'attendra. Tu t'élanceras en direction de l'est, vers Belle-Côte, et tu galoperas toute la nuit s'il le faut. Sans t'arrêter! Tu dois absolument rattraper la délégation que j'ai envoyée là-bas avant qu'elle ne s'embarque pour Aman'Thyr. Enfin, tu demanderas à Darkhan de t'accompagner à Rhasgarrok!

Halfar suffoqua, blême de colère.

— Mais...

— Il n'y a pas de mais! Je sais que tu as du mal à t'entendre avec ton frère, mais dis-toi que ta tâche sera incroyablement plus douce que la mienne... Qui selon toi va devoir annoncer à Ambrethil que sa fille qu'elle vient à peine de retrouver a été enlevée par les drows? Par ailleurs, Darkhan connaît les mœurs barbares de Rhasgarrok, il saura en déjouer les pièges les plus retors et maniera l'épée comme nul autre en cas de besoin. J'accepte que tu partes à la recherche de ta cousine, mais j'exige que Darkhan t'accompagne!

Le garçon ne broncha pas, mais lorsqu'il pivota vers la sortie, deux larmes de rage glissèrent sur ses joues noires.

2

D'un coup, Luna sentit le sol se dérober sous ses pieds. Sa bouche s'ouvrit, laissant échapper un cri strident alors qu'elle s'enfonçait dans un gouffre obscur.

Tout se passa alors très vite.

L'adolescente ferma les yeux et se recroquevilla sur elle-même, redoutant l'impact fatal... qui ne vint pas. Le puits de ténèbres dans lequel elle sombrait ne semblait pas avoir de fin. Luna rouvrit les yeux, mais malgré son infravision, l'obscurité, tel un brouillard épais, était trop dense pour y voir quoi que ce soit. Luna prit alors conscience qu'un autre hurlement accompagnait le sien!

Était-ce sa sœur... Sylnor?

Bien sûr! La jeune drow était à ses côtés lorsque la trappe en forme de toile d'araignée s'était ouverte. À présent, les deux adolescentes chutaient inexorablement dans ce puits sans fond, à côté l'une de l'autre.

— Sylnor! Essaie d'attraper ma main! s'écria alors Luna en tendant les bras à l'aveuglette.

Ses doigts finirent par rencontrer un morceau d'étoffe et s'y agrippèrent avec force, mais le tissu céda dans un crissement sinistre.

— Accroche-toi à moi! cria-t-elle en se penchant pour tenter d'attraper le bras de sa cadette.

Soudain, leurs deux corps en chute libre se rapprochèrent brusquement, les faisant violemment basculer. Les adolescentes se mirent à tournoyer ensemble dans un indescriptible chaos d'étoffes qui faseyaient, de bras et de jambes qui s'entremêlaient, sans rien pouvoir contrôler.

— Lâche-moi, sombre idiote! hurla alors Sylnor en se débattant comme une furie. À cause de toi, on va se fracasser la tête. Lâche-moi tout de suite!

Le temps que ces paroles atteignent le cerveau de Luna, une douleur fulgurante lui vrilla l'avant-bras. Elle cria, croyant s'être blessée contre la paroi rocheuse, mais la seconde d'après, elle comprit avec stupeur que c'étaient les doigts de Sylnor qui lui broyaient la chair, enfonçant leurs ongles pointus dans sa peau tendre. Luna se débattit pour échapper à l'étau carnassier. En vain.

— Arrête, Sylnor! hurla-t-elle, les larmes aux yeux. Tu me fais mal...

— Tant mieux! Tu n'as qu'à me lâcher! rétorqua sa sœur en perforant de plus belle l'avant-bras de Luna.

Suffoquant de douleur, Luna ouvrit ses paumes pour lâcher prise, mais une main griffue lui agrippa le cou avec une sauvagerie incroyable. Sylnor était-elle devenue folle?

— Eh! Mais qu'est-ce que tu fais? demanda-t-elle dans un souffle en tentant de repousser la harpie.

La réponse fusa, sans l'ombre d'une hésitation, figeant Luna de frayeur.

— Je vais te tuer! Comme ça, ton corps amortira ma chute!

Et, comme pour mettre sa menace à exécution, les doigts crochus se refermèrent autour du cou délicat de Luna. Une vague de panique la submergea.

Tout en chutant à une vitesse vertigineuse, Luna décida qu'il était temps de riposter. Sa main gauche agrippa de toutes ses forces le bras qui l'étranglait, tandis que la droite se plaquait brusquement contre le visage de Sylnor pour la repousser. Mais la bouche grande ouverte et humide de sa sœur se referma d'un coup sec sur sa paume offerte. La douleur de la morsure fit hurler Luna. Cette cinglée allait lui arracher un morceau de chair! Sans réfléchir, elle déplia ses jambes et lui asséna un violent coup de pied dans l'estomac. L'attaque fut efficace. Sylnor suffoqua et lâcha prise.

Malgré la douleur et même si elle continuait à tomber dans les ténèbres infinies, Luna se sentit soulagée de s'être enfin débarrassée de cette furie. Pourtant, elle continuait à battre l'air avec ses jambes pour éviter que Sylnor ne se jette de nouveau sur elle. C'est alors que l'adolescente sentit quelque chose dans son dos.

Une paroi! Lisse et froide, comme du métal.

Luna eut même l'impression que le puits s'incurvait imperceptiblement, puis plus nettement, accompagnant sa chute, comme pour la ralentir en douceur.

Luna glissait désormais la tête la première dans une sorte de toboggan géant, serpentant dans un sens puis dans l'autre. Soudain, elle perçut un grognement de rage dans son dos. Sylnor était juste derrière elle... Luna se tenait prête à lui asséner d'autres coups de pied quand, à quelques mètres devant, un éclat de lumière blafard apparut, inondant la gueule du tunnel. Luna plissa les yeux, aveuglée, et tendit ses bras en avant pour amortir la chute.

Dans un bruit sourd, l'adolescente glissa sur un sol dallé de marbre noir. Èlle eut à peine le temps de s'écarter que Sylnor jaillissait déjà du toboggan.

En vérifiant qu'elle n'avait rien de cassé, Luna constata que sa main droite était en sang! Les dents pointues de Sylnor y avaient laissé de profondes entailles, d'où sourdait le liquide poisseux. Quant à son bras, il était couvert de traces d'ongles sanguinolentes. Luna fixa la drow avec colère.

— Tu es complètement cinglée, corne-drouille! fulmina-t-elle. Regarde ce que tu m'as fait!

La jeune drow, visiblement sonnée, mit quelques secondes à lever la tête, mais en apercevant les blessures qu'elle avait infligées à son aînée, un rictus pervers déforma sa bouche.

— C'est tout ce que tu mérites, sale argentée! s'exclama-t-elle en se relevant. Les gens de ta race sont des abominations que toute guerrière drow se doit d'éliminer!

Rapide comme l'éclair, Sylnor se jeta sur Luna, mais l'adolescente, qui avait gardé d'excellents réflexes du temps où elle vivait avec les loups, s'écarta prestement, laissant la drow glisser sur plusieurs mètres.

— Bigredur, tu es encore loin d'être une guerrière! Tu es même trop jeune pour être une novice, alors cessons de nous battre et...

— Je suis une drow et je vais te tuer! lança Sylnor, les yeux brillants de haine.

— Tu n'es même pas une vraie drow! se fâcha alors Luna, excédée. Tu es une sang-mêlé, comme moi! Je te rappelle que nous sommes sœurs!

— Non! C'est faux! siffla l'autre entre ses dents.

— Mettrais-tu en doute les paroles de Matrone Zesstra? ironisa Luna. Que cela te plaise ou pas, nous sommes toutes les deux les filles d'Elkantar et d'Ambrethil...

— Tais-toi! trépigna alors Sylnor, presque hystérique. Ne prononce jamais ce nom-là, JAMAIS!

— Mais c'est ta mère! *Notre* mère et c'est une elfe argentée...

— Nooooooon, cette traînée n'est pas ma mère! ragea Sylnor, les larmes au bord des yeux. Je n'ai qu'une seule mère, c'est la déesse Lloth...

Alors, la gamine s'écroula, tombant à genoux, et enfouit son visage entre ses mains.

— Je suis une drow! Je suis la fille de Lloth... répéta-t-elle dans un murmure entrecoupé de sanglots.

Toute la colère de Luna reflua d'un coup, cédant la place à une vague de pitié. Elle prit alors conscience que Sylnor n'était qu'une enfant d'une dizaine d'années, que son père avait livrée aux mains d'un redoutable clergé et donc qu'on avait arrachée de force à sa mère. Sans doute Elkantar n'avait-il pas eu le choix, mais les cruelles prêtresses drows avaient endoctriné la petite, l'élevant dans la haine et la violence. Sylnor n'était qu'une pauvre gamine privée d'amour, déjà pervertie par des envies de meurtre, dont les seuls plaisirs devaient consister à faire souffrir les autres, leur faire subir les douloureuses épreuves qu'elle-même avait endurées...

Une boule d'amertume se coinça dans la gorge de Luna.

Elle aurait aimé consoler sa cadette, la prendre dans ses bras et lui chanter une berceuse en elfique, mais c'était encore trop tôt. Pour le moment, tout ce qu'elle tenterait risquait seulement de décupler la rage de Sylnor. Sa petite sœur aurait besoin de temps, de patience et surtout, de beaucoup d'amour, pour guérir ses blessures intérieures...

Sa petite sœur...

Ces mots résonnèrent soudain dans la tête de Luna comme une trahison. Pourquoi Ambrethil ne lui avait-elle jamais parlé de

Sylnor? La croyait-elle définitivement perdue pour taire ainsi son existence? Était-ce trop douloureux, comme une plaie infectée qui ne cicatriserait jamais? Pourtant, Luna aurait préféré l'apprendre de la bouche de sa mère plutôt que de celle de cette horrible sorcière Zesstra.

Luna soupira, désabusée, et finit par détacher ses yeux du petit corps frêle, encore secoué de spasmes silencieux, pour regarder autour d'elle. Ce qu'elle vit la laissa pantoise.

Partout où son regard errait, il se perdait dans l'immensité sans limite de la salle. L'elfe n'avait jamais vu d'endroit aussi vaste. La pièce était entièrement recouverte de dalles de marbre noir, qui reflétaient à l'infini la lumière dorée des flambeaux posés sur des piédestaux en or. Au plafond, un dôme obscur scintillait comme une nuit étoilée. Quant à l'immense conduit qui les avait amenées jusque-là, il se situait au centre de la salle et se perdait dans les ténèbres de ce ciel artificiel. Luna en était certaine, il ne pouvait s'agir que d'une illusion... Impossible de voir le firmament à plusieurs centaines de kilomètres sous terre! Or, vu la chute qu'elles venaient de faire, les deux sœurs ne pouvaient se trouver ailleurs que sous Rhasgarrok...

Mais où exactement? Luna aurait été bien incapable de le dire...

Soudain, un léger bruit lui fit tourner la tête. On aurait dit un cliquetis métallique. L'adolescente tendit l'oreille. Le plus étrange, c'est qu'il ne provenait pas d'un endroit précis, mais semblait surgir de partout à la fois. Luna se crispa. À mesure que le bruit s'intensifiait, l'elfe sentait grandir en elle une sourde angoisse. Elle contracta la mâchoire, inquiète. Le rythme régulier qui cliquetait sur les dalles lui faisait penser à des milliers de pattes d'insectes, comme des fourmis ou encore des sauterelles... Mais l'obscurité était trop profonde pour apercevoir quoi que ce soit.

Imperceptiblement, Luna se rapprocha de sa sœur. Sylnor, sans doute alertée par le bruit, avait cessé de pleurer et regardait également autour d'elle avec méfiance. Le lointain cliquetis du début s'était mué en une lancinante mélopée qui, si elle ne cessait pas bientôt, les rendrait complètement folles!

Puis d'un coup, le silence s'abattit sur la salle.

Alors seulement, Luna les aperçut!

Des milliers d'araignées aux pattes gigantesques...

Partout autour d'elles.

3

À travers les épaisses frondaisons rousses, un cavalier monté sur un destrier à la robe grise galopait en direction du nord. À ses trousses, un énorme loup au pelage ivoire.

Halfar, enveloppé dans sa grande cape moirée, encouragea sa monture à forcer l'allure en lui battant les flancs. Machinalement, il jeta un œil en arrière pour vérifier qu'Elbion suivait l'infernale cadence qu'il lui imposait depuis plusieurs heures déjà. La pauvre bête ahanait, mais tenait bon. Halfar savait qu'il aurait dû faire une pause, mais il n'avait pas de temps à perdre. Chaque minute qui s'écoulait diminuait ses espoirs de retrouver Luna en vie...

Halfar espérait réparer son erreur en ramenant sa cousine saine et sauve à Laltharils. Le garçon croyait en ses chances de réussir, même si Hérildur avait semé le doute dans son esprit. En repensant à son grand-père, une bouffée de colère l'envahit. Les dernières paroles d'Hérildur ne cessaient de le hanter : J'exige que Darkhan t'accompagne!

Hérildur avait parlé...

Halfar avait choisi de ne pas l'écouter!

Il était hors de question que son frère participe au sauvetage de Luna et s'en attribue tous les honneurs. C'était toujours à Darkhan que l'on confiait les missions dangereuses. Darkhan qu'on encensait et dont on vantait les exploits extraordinaires! Ras-le-bol de Darkhan!

Cette fois, ce serait lui, Halfar, *lui et lui seul*, qui serait accueilli en héros!

L'adolescent avait donc feint d'accepter la décision de son grand-père. Il avait aussitôt gagné ses appartements et annoncé à son austère gouvernante qu'il partait en mission secrète pour le roi. La vieille râleuse en était restée muette de stupeur. Halfar avait revêtu des vêtements chauds, mis des provisions dans sa besace, pris une bourse remplie d'or, jeté son arc et son carquois sur son dos et glissé une dague dans sa manche. En sortant du palais, il avait trouvé Elbion en compagnie d'un jeune elfe doré. Sûrement ce Kendhal dont Luna lui avait parlé...

Celui-ci était alors venu à sa rencontre pour se présenter et lui demander où se trouvait Luna. Halfar avait menti, disant qu'il ne l'avait pas croisée, puis il avait fait signe au loup de le suivre. D'abord hésitant, Elbion n'avait su résister à l'envie d'une promenade en forêt. Ensemble, sous le regard soupçonneux de l'elfe de soleil, ils s'étaient rendus aux écuries. Halfar avait sauté sur Jaspe, déjà sellé, et galopé en direction de l'est, vers la cité portuaire de Belle-Côte. Lorsqu'il avait jugé s'être suffisamment éloigné de Laltharils, il avait obliqué vers le nord. Vers les contreforts des montagnes Rousses.

Sa traversée de la forêt lui avait semblé interminable... Comme si l'esprit de Ravenstein refusait de le laisser désobéir à Hérildur. Halfar avait tenu bon et, en fin d'après-midi, lorsqu'il était arrivé au pied des montagnes, il avait compris que l'esprit avait renoncé à le retenir contre son gré.

À cette époque de l'année, les jours raccourcissaient tellement vite que bientôt, l'obscurité recouvrit le chemin d'un noir linceul. Les frondaisons des bosquets, noyées dans les ténèbres, se découpaient sur le fond du ciel nocturne, laissant scintiller des nuées d'étoiles.

Depuis un moment déjà, Jaspe avait sensiblement ralenti l'allure. Malgré l'air glacial, sa robe écumait d'une sueur brûlante et poisseuse. La pauvre bête devait être assoiffée. Tout comme Elbion, d'ailleurs, qui se laissait distancer de plus en plus souvent, peinant à suivre le rythme. Quant à Halfar, il avait les cuisses en feu et horriblement mal au dos. Lui qui n'était monté à cheval qu'une dizaine de fois autour de Laltharils n'imaginait pas que galoper plusieurs heures d'affilée pouvait provoquer pareilles douleurs. Le garçon dut se rendre à l'évidence : il devrait s'arrêter là et passer la nuit dans ces collines sauvages.

Le jeune cavalier tira sur les rênes pour freiner sa monture, qui ne se fit pas prier. Comme s'il n'attendait que ce signal, Jaspe s'arrêta net, manquant d'éjecter son cavalier. Halfar se retint de toutes ses forces aux liens de cuir, s'abîmant au passage la paume des mains. Puis il sauta à terre en maugréant. Malgré ses douleurs, le garçon n'était pas mécontent de pouvoir se dégourdir les jambes et de s'étirer les muscles en faisant quelques pas. Il entraîna son étalon vers le ruisseau qui cascadait tout près.

L'animal, attiré par le doux murmure des pierres roulant sous l'eau, se hâta d'étancher la soif qui le tenaillait. Halfar s'agenouilla dans l'herbe humide pour l'imiter.

Soudain, un bruit dans les buissons le fit sursauter. Il releva la tête, tous ses sens aux aguets. La nuit n'était pas un obstacle pour le garçon, car ses yeux nyctalopes lui permettaient d'y voir comme en plein jour. Il avisa alors la silhouette ivoire du grand loup qui venait seulement de les rejoindre. Elbion n'hésita pas un seul instant à se jeter tout entier dans le ruisseau, aspergeant Halfar de gerbes glacées.

Le garçon recula en riant, puis songea qu'un bon feu serait le bienvenu – pour se réchauffer et éventuellement éloigner les bêtes sauvages... Il ne tenait pas à affronter un ours avec son arc, aussi doué soit-il en tir! Quelques branches et brindilles à peu près sèches, une formule magique de base et le tour fut joué : de chaudes flammes jaune orangé s'élevèrent dans la nuit, créant un halo de lumière feutrée.

Profitant de l'agréable douceur du feu, le garçon sortit ses provisions, qu'il partagea de bon cœur avec Elbion. Tout en se rassasiant, il raconta au loup le but de sa mission et le rôle primordial qu'il aurait à y jouer : seul son remarquable flair leur permettrait de retrouver Luna. À l'évocation du nom de sa sœur, Elbion dressa les oreilles, le regard brillant, et aboya comme pour signifier qu'il avait compris.

Halfar s'enroula ensuite dans sa cape et, malgré les courbatures, ne tarda pas à plonger dans un sommeil sans rêve.

Les premières lueurs de l'aube grise le réveillèrent brusquement. Elbion et Jaspe, déjà debout, regardèrent leur compagnon émerger. Ils semblaient frais et dispos, prêts pour une nouvelle journée de voyage. D'après ses estimations – tirées des différents récits qu'il avait lus ou entendus –, Halfar devrait atteindre la vallée avant le crépuscule. Il passerait alors une dernière nuit à la belle étoile et, le lendemain soir, il ferait halte à Dernière Chance, un village de gobelins. Ceux-ci détestaient les elfes, mais craignaient terriblement les drows. Vu la couleur de sa peau, Halfar ne risquait pas d'être inquiété... À l'aube du quatrième jour, le garçon traverserait la vaste plaine désertique d'Ank'Rok jusqu'à la cité souterraine.

Lui qui avait toujours rêvé de découvrir la mystérieuse Rhasgarrok...

Cette idée aurait dû le réjouir, mais la perspective de devoir passer encore trois jours entiers sur le dos de l'étalon ne l'enchantait guère. La nuit sur le sol dur et froid n'avait pas soulagé ses douleurs, au contraire!

Soudain, Halfar s'empourpra. De quel droit se plaignait-il? Qu'étaient ses ridicules petites courbatures au regard des indescriptibles souffrances que devait endurer sa cousine?

L'adolescent, fermement décidé à ne plus écouter les jérémiades de son corps, adressa une fervente prière à Eilistraée, la déesse protectrice des bons drows, afin qu'elle veille sur Luna, et grimpa sans attendre sur le dos de son destrier.

Ils voyagèrent toute la journée, contournant les collines rondes et dodues qui servaient de contreforts aux majestueuses montagnes dont les cimes enneigées étincelaient sous le soleil hivernal. Cette fois-ci, Halfar ne força pas l'allure et s'offrit même quelques pauses, tant pour ménager les bêtes que pour chasser de petites proies. En effet, il n'avait pas emporté beaucoup de nourriture et devrait compter sur ses talents d'archer s'il ne voulait pas mourir de faim.

Le soir venu, le garçon se dénicha un endroit agréable : une petite crique de sable blanc léchée par un étang aux eaux étonnamment vertes. Il n'avait pas parcouru la distance qu'il avait prévue, mais au moins cette nuit, il dormirait sur un sol plus confortable!

Lorsque Halfar descendit de cheval, il ne put réprimer un gémissement sourd. Il avait essayé de nier toute la journée les brûlures cuisantes qui lui rongeaient l'intérieur des cuisses, mais la douleur était maintenant trop vive pour être ignorée.

D'une démarche peu élégante, il se dirigea vers le bord de l'étang et, n'y tenant plus, il défit ses bottes puis son pantalon avec d'infinies précautions et pénétra dans l'eau glacée en serrant les dents. Les frottements incessants sur sa peau déjà échauffée avaient provoqué d'énormes cloques, desquelles suintait un liquide blanchâtre. Pourtant, sous l'effet anesthésiant du froid, sa souffrance sembla s'atténuer au bout de quelques minutes. Halfar soupira de soulagement pendant qu'Elbion le rejoignait, profitant de la quiétude de l'eau pour nager.

Lorsque le froid se fit mordant au point qu'il ne sentait presque plus ses jambes, Halfar jugea qu'il était temps de regagner la berge. Tout en renfilant son pantalon, il regretta de n'avoir pas pensé à emporter un baume cicatrisant...

Pour oublier la douleur, il s'empressa d'allumer un feu et d'embrocher les deux pigeons qu'il avait chassés quelques heures plus tôt. Elbion se contenta d'une perdrix crue dont il ne laissa que quelques plumes. Quant à Jaspe, il se régala d'herbe humide.

Une fois repu, Halfar s'allongea sur le sable et, le visage tourné vers les étoiles, se laissa ber-cer par la rumeur de la forêt. Sans qu'il s'y attende, Elbion vint se blottir contre lui. Cette marque de confiance le toucha et lui redonna du courage. Ils formaient une bonne équipe. Ensemble, c'est sûr, ils trouveraient Luna...

Le beau visage de sa cousine lui apparut alors comme en rêve. Auréolée de sa chevelure argentée, elle lui souriait, nimbée de lumière. Ses yeux azur le fixaient avec une intensité nouvelle. Le cœur d'Halfar se mit à battre la chamade. Elle était si...

Un craquement sec le tira brusquement de ses rêveries. Il se redressa d'un coup, constatant avec surprise qu'Elbion avait disparu!

Ce n'était pas normal. Au moindre signe de danger, le loup aurait bondi en direction de l'intrus, qu'il s'agisse d'une bête ou d'un rôdeur. En aucun cas Elbion n'aurait abandonné son nouvel ami!

Halfar aurait voulu l'appeler ou le siffler, mais c'était trop risqué : il n'avait pas envie de signaler sa présence. Alors, sans un bruit, il se releva, s'empara de son arc et courut se dissimuler derrière l'énorme tronc d'un érable centenaire. Son pouls s'accéléra. Pas question de tomber dans un traquenard. Qui volerait au secours de sa cousine si un malfrat venait à lui planter un poignard dans la poitrine?

Bien décidé à se défendre, l'adolescent saisit l'une de ses flèches empennées de bleu, l'encocha silencieusement et attendit en retenant son souffle.

Soudain, il lui sembla percevoir des chuchotements...

Halfar tendit l'oreille.

Oui! Quelqu'un était bien en train de parler à voix basse, à seulement quelques mètres de lui, derrière les fourrés. Une ou plusieurs personnes... mais impossible d'en savoir plus en restant caché. Alors, n'écoutant que son courage, Halfar fit quelques pas à découvert. Avec des gestes lents et précis, il avança sans un bruit, évita les branchages, contourna les buissons, l'arc toujours bandé.

Soudain, derrière un bosquet de saules, Halfar aperçut quelqu'un assis de dos, enveloppé dans une longue houppelande brune. Il se figea. Un filet de sueur glissa entre ses omoplates.

L'homme – vu sa carrure et sa taille, il pouvait difficilement s'agir d'une femme – semblait seul. Installé sur une souche, il continuait à murmurer des paroles qu'Halfar ne comprenait pas, tout en bougeant son bras de façon presque mécanique. Que pouvait-il bien fabriquer? Et où était Elbion? Le loup aurait dû flairer le danger! À moins que le rôdeur ne l'ait...

La gorge nouée par l'émotion, Halfar s'approcha avec discrétion.

Ce qu'il vit le cloua sur place.

Elbion était assis aux pieds de l'étranger et se laissait caresser l'échine!

Halfar, un instant déconcerté, songea aussitôt à un sortilège. L'homme connaissait sûrement des enchantements capables de neutraliser les prédateurs et, dès que la méfiance d'Elbion serait totalement endormie, il lui planterait sa lame dans le cœur!

Il était temps d'agir...

Un bond suffit à Halfar pour atteindre son ennemi. Sans hésiter, il appuya la pointe de sa flèche sur la capuche de bure, à l'endroit de la nuque.

— Pas un geste ou je vous fais exploser la cervelle! s'écria-t-il, menaçant.

L'autre sursauta et ses incantations cessèrent aussitôt. Elbion se redressa d'un coup.

— Retournez-vous! ordonna Halfar. Et pas de mouvement brusque, compris?

L'étranger obtempéra. Il se leva et fit volte-face.

Halfar recula involontairement.

Il ne pouvait pas apercevoir le visage du rôdeur, mais ses yeux rougeoyaient dans l'ombre. Cruels et brillants, comme deux gouttes de sang. Soudain, l'homme leva les mains, paumes ouvertes, en direction d'Halfar.

Sa peau était noire!

Halfar crut que son cœur allait s'arrêter.

L'homme qui lui faisait face n'était pas un rôdeur, mais un incantateur drow! Comme celui qu'il avait vu empoisonner la source de Ravenstein!

Si Halfar n'agissait pas immédiatement, il était mort.

Sa flèche déchira la nuit.

L'autre, rapide comme l'éclair, fit un bond de côté pour l'éviter.

Alors Halfar dégaina la dague affûtée qu'il cachait dans sa manche et se jeta sur l'elfe noir sans attendre. Mais celui-ci lui attrapa le poignet avant que la lame mortelle ne lui lacère les entrailles et lui tordit violemment le bras. Halfar gémit de douleur et lâcha son arme. Toutefois, de l'autre poing, il frappa son adversaire en plein visage.

Sous le regard perplexe d'Elbion, les deux combattants perdirent l'équilibre et roulèrent à terre en se rouant de coups. Halfar eut vite fait de prendre le dessus. Apparemment, le sorcier n'était pas un adepte du corps à corps et, curieusement, il n'utilisait pas sa magie pour se défendre. Après deux ou trois coups de poings bien placés, le garçon s'assit à califourchon sur la poitrine de son adversaire et lui arracha sa capuche d'un geste rageur, le poing droit levé, prêt à lui écraser le nez.

— TOI? s'exclama-t-il en écarquillant les yeux.

4

Luna sentit ses forces l'abandonner.

Des milliers d'araignées, dont certaines aussi grosses qu'une table, les cernaient de toutes parts. Avec leurs larges pattes, recouvertes d'une épaisse fourrure brune aux reflets violacés, elles semblaient redoutables.

Soudain, la plus impressionnante des arachnides fit un pas en direction des deux sœurs. Ses huit yeux globuleux brillaient dans les ténèbres pendant que ses pédipalpes acérés grinçaient désagréablement.

— T'as vu ça... murmura Sylnor, subjuguée.

Luna lui jeta un regard rapide. Apparemment, face au danger imminent, sa sœur avait renoncé à ses velléités fratricides. Tant mieux...

— Elles sont énormes, reprit la drow, pleine d'admiration. Tu vois la bave qui suinte de leurs chélicères? C'est du venin... Elles l'injectent dans leur proie pour liquéfier ses organes et ses muscles afin de pouvoir les aspirer.

— Charmant! commenta Luna en grimaçant de dégoût.

— C'est peut-être ton sang qui les attire... ajouta Sylnor en indiquant la main blessée de son aînée.

Le cœur de Luna sauta un battement. Un horrible pressentiment l'assaillit : et si sa sœur n'avait pas renoncé à la supprimer, mais venait au contraire de trouver le moyen de se débarrasser d'elle, en la jetant en pâture à ces immondes créatures?

Luna sentit une bouffée de colère l'envahir.

— Si tu crois que je vais leur servir de repas, tu te trompes! rugit l'adolescente. Jamais je ne...

— Je ne parlais pas de toi, pauvre sotte! la coupa Sylnor avec suffisance. Les filles de Lloth ne mangent pas n'importe quoi! *JE* vais m'offrir à elles!

— Hein? Mais tu es complètement folle! répondit Luna en manquant de s'étrangler.

— Tu n'as pas encore compris que nous sommes dans l'antre de la déesse? Pour une drow, c'est un immense honneur que de renoncer à la vie pour la gloire de Lloth! Fais ce que tu veux, mais moi, j'ai choisi ma voie! décréta Sylnor en avançant vers l'araignée qui bavait à moins de deux mètres d'elle.

— Nom d'un tronc, arrête tes bêtises! gronda Luna en saisissant le bras de sa sœur. Ton sacrifice ne servira à rien, tu n'es pas une vraie drow!

Sylnor sursauta et pivota brusquement vers Luna, le visage empourpré.

— Mettons les choses au clair une bonne fois pour toutes! prononça Sylnor avec froideur. Que mon père ait couché avec une putain à la peau blanche ne change rien à ce que je suis et je t'interd...

Une terrible gifle s'abattit sur sa joue dans un claquement sonore.

— Et moi, je t'interdis de parler d'Ambrethil comme ça, cornedrouille! C'est notre mère, que tu le veuilles ou non! s'exclama Luna, furieuse. D'ailleurs, même si je le regretterai sans doute plus tard, puisque tu es ma sœur, je ne laisserai pas non plus ces immondes bestioles t'injecter leur venin!

Sans lâcher sa cadette, Luna ferma les yeux pour puiser au fond d'elle cette force qu'elle savait capable d'anéantir d'un coup tous ces monstres velus. Lorsqu'elle sentit la vague de puissance naître en elle, puis irradier dans tout son corps, une joie féroce l'envahit.

Alors, sous les yeux effarés de Sylnor, l'onde d'énergie jaillit de Luna et fusa dans toutes les directions en même temps, foudroyant les araignées dans un silence mortel.

Pas une seule n'en réchappa.

Lorsque Luna rouvrit les yeux, des milliers de cadavres, encore secoués de spasmes convulsifs, gisaient dans la vaste salle.

— Que... que s'est-il passé? suffoqua Sylnor, livide. Tu... tu les as tuées?

— En effet! rétorqua froidement Luna. Comme je tuerai toutes les créatures que ta déesse nous enverra. Alors, autant te préparer! Et maintenant, trouvons la sortie! décréta-t-elle en tirant sa sœur par le bras.

— La *sortie*? répéta bêtement Sylnor, sans détacher ses yeux effrayés des carcasses inertes. Mais de quoi tu parles? Nous sommes au Royaume de Lloth... Personne ne sort d'ici!

— Eh bien, moi, je ne compte pas passer ma vie dans un endroit aussi sinistre! Alors, en route!

Luna entraîna Sylnor qui, assez curieusement, n'opposa aucune résistance. L'adolescente semblait trop affectée par la mort des « filles de Lloth », comme elle les appelait, pour réagir. Luna, imperturbable, avançait droit devant elle, contournant les corps sans vie des arachnides. Elle ignorait si cette salle immense possédait une issue, mais puisqu'il leur était impossible de remonter par l'espèce de toboggan géant qui les avait conduites ici, inutile de rester plantées là...

Soudain, Luna plissa les yeux. Un mur se dessinait dans les ténèbres, juste en face d'elle. L'adolescente avança dans cette direction et constata que l'enceinte de la salle était circulaire et percée de plusieurs arches. Son cœur se mit à faire des bonds dans sa poitrine. Elle pressa le pas. Mais à ce moment, Sylnor sortit de sa torpeur. Elle se dégagea d'un geste brusque et refusa de continuer.

— Ne te fais pas d'illusion, jamais Lloth ne te laissera t'en aller!

Luna s'arrêta à son tour et dévisagea sa sœur avec un sourire narquois.

— Ne me dis pas que tu crois à toutes ces bêtises, bigrevert!

— Quelles *bêtises*? rétorqua Sylnor, agressive.

— Ben, tu sais, tous ces trucs qu'on raconte sur les dieux et les déesses... C'est vrai qu'ils sont vivants dans nos cœurs, dans nos prières, mais ils n'existent pas... Enfin, pas *vraiment*... pas dans notre monde, je veux dire. Et Lloth pas plus que les autres!

— On voit que tu n'y connais rien! siffla la drow avec dédain. Moi, j'ai été initiée aux mystères de la déesse Araignée et je sais que Lloth existe bel et bien. Mais pas dans *notre* monde, en effet... Au cas où tu ne l'aurais pas encore remarqué, nous ne sommes plus dans *notre* monde!

— Alors où sommes-nous? Dis-le-moi, puisque tu es si savante!

Sylnor prit une grande inspiration et croisa les bras sur sa poitrine.

— Je te l'ai déjà dit! Nous sommes au cœur du royaume des dieux, dans l'antre de Lloth. Tu vas voir que notre déesse est bien réelle...

— De toute façon, peu importe! fit Luna en haussant les épaules et en reprenant sa marche. Je n'ai pas peur d'elle!

— *Pas peur de Lloth?* répéta Sylnor en ouvrant des yeux éberlués.

Luna ne daigna pas répondre. Elle poursuivit son chemin jusqu'à l'arche en ogive, taillée dans l'enceinte de granit noir, et franchit les limites de la salle.

— Attends! s'écria sa sœur dans son dos tout en courant pour la rejoindre. Comment peux-tu dire que tu n'as pas...

Mais les mots moururent sur ses lèvres.

À deux mètres devant elles s'ouvrait un gouffre vertigineux. Comme de profondes douves, il courait apparemment tout autour de la gigantesque salle circulaire dans laquelle Luna et Sylnor avaient atterri. De l'autre côté de la fosse, à vingt ou trente mètres, dans la lumière vacillante de torches fichées dans le mur, s'avançaient les vestiges d'une passerelle métallique aujourd'hui disparue.

Luna fit un pas prudent en avant pour jeter un œil dans le fond du précipice et grimaça en découvrant une immense toile d'araignée, tissée à un mètre en contrebas, comme un gigantesque filet de protection ou... un piège redoutable!

Elle recula si vivement qu'elle en heurta sa sœur.

— Je t'avais bien dit qu'on ne pouvait pas s'enfuir d'ici! clama celle-ci avec un sourire méchant avant de s'asseoir sur le bord du gouffre.

— Qu'est-ce que tu fais? l'interrogea Luna.

— J'attends Lloth!

Luna haussa les épaules en serrant les dents. L'obstination de sa cadette commençait à l'agacer sérieusement, toutefois, elle préféra garder le silence plutôt que d'attiser sa haine... Cependant, il était hors de question qu'elle reste là, les bras croisés, à attendre la venue d'une déesse qui n'existait même pas! Elle allait trouver un moyen de franchir ce précipice et de quitter cet endroit.

L'elfe argentée entreprit alors de faire le tour du chemin de ronde pour longer les douves. Les araignées n'avaient sans doute pas surgi de nulle part, tout à l'heure. Or, comme il n'y avait pas d'autre issue, elles étaient certainement arrivées par un pont qui tenait encore debout...

Ce n'était pas parce ceux qu'elle voyait étaient en ruines qu'ils l'étaient tous...

Afin d'en avoir le cœur net, Luna se mit à courir. Au fil de sa course, elle comprit qu'à chacune des arches correspondait ce qui autrefois avait été une passerelle. Hélas, aucune d'entre elles ne franchissait entièrement le précipice. Tels des squelettes métalliques, les ponts s'avançaient au-dessus du gouffre et s'arrêtaient net, comme coupés par une scie géante. C'était à la fois curieux et terriblement lugubre.

Après une bonne demi-heure de course et une dizaine de ponts, Luna s'arrêta, à bout de souffle.

« Nom d'un chêne tordu, cet endroit est encore plus immense que je le croyais! Je n'en peux plus... »

Des larmes de désespoir perlèrent au bord de ses jolis yeux en amande. La vie était vraiment trop injuste! Elle venait à peine de retrouver sa mère et une famille qui l'aimaient, sans parler de ses nouveaux amis Kendhal et Halfar, qu'un nouveau coup du destin la renvoyait à Rhasgarrok... Non, même pas : à *plusieurs milliers de mètres sous* la cité des drows...

Luna secoua la tête, désespérée. Comment allait-elle faire pour sortir de là? Si au moins Elbion était à ses côtés...

Elle jeta un œil humide au chemin de ronde qui s'étirait dans les ténèbres et renonça à en faire le tour complet. Elle ne ferait que s'épuiser et augmenter encore la terrible soif qui la tenaillait. Le cœur lourd, Luna rebroussa chemin. En traînant les pieds, cette fois-ci.

Au bout d'un temps qui lui sembla une éternité, Luna commença à s'inquiéter de ne pas retrouver l'arche devant laquelle Sylnor s'était assise. Comme les portes en ogive se ressemblaient toutes, il lui était impossible de reconnaître celle par où elles étaient sorties. Pourtant, ce devait être par là, car elle avait compté neuf arches. Normalement, à la prochaine, elle devrait retrouver sa sœur.

Toutefois, en arrivant à ce qu'elle croyait être son point de départ, Luna constata avec angoisse que sa cadette ne l'y attendait pas. Elle ferma les yeux pour éviter de pleurer de nouveau. Elle devait être forte et ne pas céder à la panique. Réfléchir...

Et si Sylnor avait décidé de faire le tour dans l'autre sens? À moins qu'elle ne soit retournée auprès du toboggan géant... Mais si elle avait *vraiment* disparu? Si d'autres araignées étaient venues la chercher ou la déesse en personne? « Non, ça, c'est n'importe quoi! » se morigéna-t-elle aussitôt.

Comme pour exorciser la panique qui mena-
çait de l'envahir, l'adolescente hurla le nom de
sa sœur. Du plus profond de sa gorge, le cri
jaillit, se perdit dans l'obscurité pour mieux
rebondir contre les murs de marbre. L'écho
répéta à l'infini le nom de Sylnor.

Puis le silence revint.

Profond. Sépulcral.

Et soudain, comme une lumière dans les
ténèbres :

— Inutile de t'époumoner ainsi! Je suis
là...

Luna sursauta et regarda autour d'elle, sans
toutefois apercevoir la jeune drow.

— En face, de l'autre côté, bougre d'idiote!
cria Sylnor en gesticulant.

Luna, abasourdie, s'approcha du bord, sans
parvenir à comprendre par quel miracle sa
sœur avait réussi à franchir le gouffre.

— Mais... comment as-tu fait? s'étonna-
t-elle en ouvrant de grands yeux.

— J'ai tout simplement utilisé la toile... en
bas! répliqua sèchement Sylnor.

— La *toile*? répéta Luna, horrifiée à l'idée de
poser un pied là-dessus. Mais comment...

— En marchant dessus! Mais si j'ai réussi,
c'est uniquement parce que je suis Initiée. Toi,
tu n'as aucune chance! ajouta Sylnor avec un
rire mauvais.

Luna sentit une bouffée de colère l'envahir. Pour qui se prenait-elle, cette petite prétentieuse? Luna n'avait peut-être pas été *initiée*, mais son enfance dans la nature l'avait maintes fois amenée à observer attentivement les toiles des épeires diadème. Elle savait parfaitement que les arachnides n'enduisaient pas tous les fils de leur piège de mucus collant afin de pouvoir accéder à leurs proies sans s'engluer dans leurs propres secrétions.

Puisque Sylnor avait réussi, il n'y avait aucune raison qu'elle n'y parvienne pas à son tour! Luna s'approcha donc du bord et entreprit de descendre dans la toile géante.

De là où elle était, l'adolescente ne put apercevoir la lueur de joie malveillante qui dansait dans les yeux de sa sœur, comme une petite flamme attisée par la haine.

5

Les cheveux au vent, accoudé au bastin-
gage, Darkhan regardait la côte se dessiner à
moins d'un mille devant eux. La mer s'était
enfin calmée. La brise d'ouest avait chassé les
nuages noirs. Dans le ciel frangé d'écarlate du
couchant, la citadelle d'Aman'Thyr brillait de
mille feux.

Du moins, ce qu'il en restait...

À mesure que le galion glissait sur les flots,
en effet, la glorieuse forteresse prenait des
allures de champ de bataille dévasté, de ruines
calcinées. Ses splendides tourelles élancées
n'étaient plus que des troncs noircis, pointant
les cieux rougis d'un doigt accusateur. L'épaisse
muraille qui encerclait la ville, éventrée comme
une carcasse animale, déversait des flots de
gravats qui s'amoncelaient dans la mer. Çà et

là, des volutes de fumée grise s'échappaient de brasiers qui brûlaient encore.

Chaque seconde qui les rapprochait des lieux de la catastrophe, les passagers perdaient espoir de retrouver le moindre survivant.

C'était bien pour cette raison que Sarkor et son fils Darkhan avaient décidé d'accompagner Hysparion jusqu'au lieu du drame, survenu six jours plus tôt.

Cette funeste nuit-là, utilisant un réseau de passages secrets souterrains, des hordes de guerrières drows accompagnées d'urbams assoiffés de sang avaient jailli au cœur du palais pour massacrer ses habitants endormis. Puis les troupes ennemies s'étaient répandues dans la ville tel un poison mortel. Elles n'avaient épargné personne. Leurs cimeterres acérés avaient décapité, tranché, anéanti toutes les fragiles vies qu'ils avaient rencontrées. La faible résistance que leur avaient opposée quelques Mages et guerriers avait été vite matée dans un bain de sang.

Un véritable carnage.

Seuls quelques elfes dorés étaient parvenus à se réfugier dans la salle du téléporteur. À leur tête, Hysparion, le Grand Mage de la Cour. Après avoir envoyé famille, amis et domestiques à Laltharils, il avait hésité à les suivre. Il refusait d'agir comme un lâche en fuyant alors que ses compatriotes mouraient par milliers... Mais seul, il ne pouvait rien contre le fléau drow. Mieux valait prévenir ses alliés elfes argentés. Hysparion s'était donc résigné à utiliser le téléporteur une dernière fois... avant de le mettre définitivement hors d'usage. Pas question que les drows l'utilisent à leur tour.

Dès son arrivée à Laltharils, Hysparion avait demandé audience à Hérildur. La fête donnée pour célébrer le retour d'Ambrethil avait aussitôt été interrompue. Le roi avait réuni le Conseil des Sages, invitant Darkhan, son petit-fils, et Sarkor, son gendre, à y assister.

Après plusieurs heures de palabres animées, une armée avait été levée.

À sa tête, Hérildur avait nommé le général Norilyan, en qui il avait une confiance absolue. Darkhan et Sarkor s'étaient portés volontaires pour l'accompagner. Leur fidélité et leur courage étant unanimement reconnus, le Conseil avait immédiatement accepté leur offre. Par ailleurs, leur connaissance des mœurs drows pourrait leur être d'une aide précieuse. Mais ils devraient porter des capuches et rester dans l'ombre, car les humains de la côte n'apprécieraient sûrement pas leur présence et refuserait sans doute d'affréter un navire pour eux...

La troupe s'était mise en branle dès le lendemain matin.

Malgré l'aide de la forêt qui s'était ouverte devant eux, raccourcissant les distances, deux journées de marche leur avaient été nécessaires pour rejoindre Belle-Côte. Là, l'armée d'Hérildur avait trouvé un capitaine digne de confiance qui avait accepté de les conduire vers le nord. Mais la tempête qui ravageait la côte depuis une semaine les avait contraints à attendre le lendemain avant de larguer les amarres. Dès l'aube, le fier galion s'était élancé, bravant les flots impétueux, poussé par un fort vent de sud.

Évidemment, ils auraient pu gagner du temps en embarquant à Anse-Grave. Mais les tours de Vigie auraient aussitôt décelé la présence d'un drow et foudroyé Sarkor sur-le-champ.

Darkhan balaya la mèche d'ébène qui s'était échappée de sa capuche. C'était la première fois qu'il voyait la citadelle du soleil, mais son cœur ne pouvait s'empêcher de saigner devant l'ampleur des dégâts.

— Les drows sont vraiment capables des pires atrocités... lui glissa Sarkor en prenant place à ses côtés. Tu comprends maintenant pourquoi j'ai quitté ma famille?

— En effet, père, mais les épreuves que j'ai vécues à Rhasgarrok m'avaient déjà fait prendre conscience à quel point tu avais eu raison.

Sarkor hocha la tête, pensif, ses yeux rouges rivés sur ce qui restait d'Aman'Thyr.

— La haine des drows ne connaîtra donc jamais de limite? murmura-t-il comme pour lui-même. Ils commettent sans vergogne des actes d'une sauvagerie extrême pour assouvir les caprices d'une déesse sanguinaire. Tout ça, c'est la faute de Matrone Zesstra... Cette vieille sorcière a conclu autrefois un pacte démoniaque avec Lloth. Tant qu'il subsistera sur cette terre un seul elfe libre, elle le traquera pour le massacrer...

Darkhan dévisagea son père avec étonnement.

— Tu sembles bien la connaître...

Sarkor se contenta de serrer les dents, évitant son regard.

— Tu sais que je l'ai aperçue lors de mon séjour dans la cité maudite? ajouta Darkhan.

— Hein? sursauta le drow en rivant ses prunelles écarlates dans celles de son fils. Quand? Où ça? Est-ce qu'elle t'a vu?

— C'était dans les arènes d'Oloraé. Matrone Zesstra se trouvait dans les tribunes d'honneur. Et bien sûr qu'elle m'a vu : je devais affronter son champion! Mais le combat a mal tourné et la grande prêtresse a failli être blessée. Furieuse, elle s'est vengée en ruinant Oloraé.

Darkhan marqua une pause. Une question lui brûlait les lèvres... Il jugea le moment opportun.

— Hum... Père, tu as toujours refusé de me dire à quelle maison tu appartenais, mais je crois que le temps de la vérité est venu... Je dois savoir.

Sarkor contempla de nouveau les derniers feux du couchant qui se mouraient à l'horizon.

— Tu as raison, mon fils, le temps est venu... Même si au fond de ton cœur tu le sais déjà, n'est-ce pas?

— Matrone Zesstra? devina Darkhan, l'estomac noué par l'angoisse.

— Hélas oui... soupira Sarkor. La maison Vo'Arden de la terrible Matrone Zesstra. Et si elle t'a vu, elle t'a forcément reconnu. Notre ressemblance ne lui aura pas échappé. Elle sait désormais que je suis en vie et qu'elle a un petit-fils...

— Tu sembles catastrophé... s'étonna Darkhan

— J'aurais préféré qu'elle me croie mort et qu'elle m'oublie définitivement. J'aurais préféré qu'elle ignore ton existence... C'est tout... conclut Sarkor, d'une voix pleine de tristesse.

La conversation s'arrêta là.

Le voyage aussi.

Les marins venaient de sauter sur le quai pour amarrer le galion au pied des murailles.

Darkhan leva les yeux, impressionné par la démesure de ces remparts. Hauts de près de cent mètres, ils faisaient de la ville une forteresse imprenable, car nul n'était de taille à les franchir... Pourtant, l'orgueilleuse Aman'Thyr n'était plus qu'un tas de ruines.

À la demande du général Norilyan, Hysparion prit la tête du convoi et guida l'armée sur les rochers léchés par la mer tumultueuse. Les vagues éclataient en contrebas, enveloppant les elfes dans des gerbes d'écume glacée. Le goémon et les coulées de gravats rendaient leur progression fort délicate, mais bientôt le Mage donna l'ordre à la petite troupe de s'arrêter.

— Je connais l'entrée d'un passage secret! annonça le Mage. Nous allons entrer par là.

— Très bonne idée, déclara Norilyan en se tournant vers ses hommes, car nous ignorons si les drows sont encore dans la ville. Je vous rappelle que si nous sommes ici, ce n'est pas pour les affronter, mais pour retrouver d'éventuels survivants! Si vous tombez sur une elfe noire, essayez de la capturer. Elle pourra peut-être nous fournir de précieux renseignements.

Par contre, soyez sans pitié avec les urbams. Ces créatures ne nous apprendront rien et ne méritent pas de vivre. Allez, en avant!

Hysparion apposa alors ses mains en plusieurs endroits précis du rocher en marmonnant des paroles mystérieuses. Sous les yeux ébahis des soldats, l'énorme masse de pierre s'écarta pour dévoiler un tunnel sombre et humide.

Un par un, les guerriers se faufilèrent dans l'étroit conduit. Après de longues minutes, les hommes débouchèrent enfin dans une vaste cavité, située sous la citadelle, où se trouvait un bassin de rétention. Les guerriers s'empressèrent de grimper les marches taillées à même la roche pour rejoindre la ville.

Le cœur battant, Darkhan appréhendait de découvrir le carnage.

La vérité fut encore plus cruelle que ce à quoi il s'était attendu...

La valeureuse Aman'Thyr, dévastée, ravagée, massacrée, ressemblait à un charnier.

Des centaines et des centaines de corps jonchaient les rues, pendaient aux fenêtres, égorgés, poignardés, éventrés, calcinés, décapités. Hommes, femmes, enfants, vieillards. L'holocauste n'avait épargné personne. Des nuées bourdonnantes d'insectes nécrophages avaient commencé leur sale besogne. Le spectacle était d'une violence innommable. L'odeur de la mort insoutenable.

Certains hommes, pourtant aguerris, s'isolèrent pour pleurer, d'autres pour vomir.

Ils passèrent néanmoins toute la nuit à fouiller la forteresse.

Les guerrières drows avaient déserté l'endroit et apparemment, elles n'avaient laissé aucun survivant derrière elles.

Lorsqu'il atteignit le dernier étage de la tour royale, Hysparion découvrit le corps lacéré de son roi, Koréthryl. Son auguste tête décapitée avait été plantée sur un mat de cocagne. Les traits déformés par la douleur, le Mage poussa un hurlement de désespoir qui se perdit dans l'immensité des ténèbres.

6

Assise sur le bord du gouffre noyé dans les ténèbres, Luna observait la toile d'araignée géante qui s'étirait devant elle. L'ouvrage, à la géométrie parfaite, était remarquable de délicatesse; pourtant, l'adolescente ne put s'empêcher de frissonner. Une toile aussi fine pourrait-elle supporter son poids? N'allait-elle pas se déchirer lorsque Luna serait au beau milieu du précipice? Et que se passerait-il si, par mégarde, elle marchait sur les mauvais fils? Quelle taille pouvait bien atteindre la créature qui avait tissé un tel piège?

— Tu n'y arriveras jamais! la défia Sylnor, de l'autre côté de la fosse. Tu vas réveiller la gardienne et elle ne fera qu'une bouchée de toi! Le seul point positif, c'est que je serai aux premières loges pour savourer ta mort...

Décidant d'ignorer les sarcasmes de sa sœur, Luna prit une grande inspiration pour se donner du courage et, très précautionneuse-ment, posa un pied tremblant sur un fil qui lui semblait plus épais et surtout moins luisant que les autres.

Toute la toile vibra, mais l'adolescente constata avec soulagement que sa ballerine ne collait pas au fil. Elle ne s'était pas trom-pée. Finalement, si elle restait très vigilante, elle n'aurait pas trop de difficulté à franchir le précipice.

Luna quitta alors son perchoir pour poser son deuxième pied sur la gigantesque toile. Telle une funambule défiant le vide, l'elfe avança sur le filet de soie translucide. D'ins-tinct, elle écarta les bras pour maintenir son équilibre et, retenant son souffle, se mit à suivre le fil principal pas à pas, faisant glisser un pied après l'autre.

Lentement. Doucement.

Pour ne pas éveiller la maîtresse des lieux.

Luna était presque au milieu du précipice quand Sylnor hurla :

— Attentiooooon! Derrière toi!

Si Luna avait pris le temps de réfléchir, elle aurait compris que sa sœur bluffait : si l'araignée avait réellement été sur le point de l'agresser, Sylnor n'aurait pas crié, mais se serait plutôt délectée du spectacle à venir.

Hélas, deux secondes suffirent à tout faire basculer.

En entendant l'avertissement de sa sœur, Luna sursauta, perdit l'équilibre et recula son pied droit pour éviter de chuter dans la toile. Mais poser un pied en dehors du fil sécurisé, c'était s'offrir à sa prédatrice. Dans un sursaut désespéré, Luna se pencha brusquement en avant pour rétablir sa position.

Trop tard!

L'adolescente tomba la tête la première dans les fils de soie imbibés de sécrétions gluantes. Le contact de la toile humide et collante contre son visage la révulsa. Elle ferma les yeux et la bouche.

Affolée, elle tenta en vain de s'en dépêtrer, sans s'apercevoir qu'à chacun de ses gestes, les fils agissaient comme autant de signaux d'alarme, avertissant la propriétaire des lieux qu'un intrus avait osé profaner son domaine.

Luna était complètement engluée dans la toile quand un rire sonore parvint à ses oreilles.

— Quelle imbécile, par Lloth! gloussa Sylnor. Je t'avais pourtant prévenue!

— Sylnor... Aide-moi! Fais quelque chose, je t'en prie! la supplia Luna, surmontant son dégoût pour ouvrir la bouche.

— Hein? Après tout le mal que je me suis donné pour me débarrasser de toi! Tu plaisantes, j'espère!

Face au silence de son aînée, Sylnor ajouta :

— Remarque, je ne pensais pas que tu tomberais aussi facilement dans mon piège. Je n'ai même pas eu à insister. Tu es tellement orgueilleuse et têtue qu'il m'a suffi de t'interdire de passer sur la toile pour que tu le fasses... Incroyable! Sache que personne ne s'aventure impunément sur une toile d'araignée! *personne*, tu entends? Même pas moi!

À ces mots, Luna frémit d'horreur.

Comment avait-elle pu être naïve à ce point? Maintenant, elle était engluée dans une toile gigantesque, et elle constituait une proie offerte aux chélicères d'acier de l'araignée qui ne saurait tarder à arriver.

Pourtant, un détail clochait...

— Comment es-tu parvenue de l'autre côté de la fosse, alors? cria-t-elle à Sylnor sans la voir.

— Par la passerelle, évidemment! rétorqua sa cadette avec dédain. Elle est *invisible*, mais on peut bel et bien marcher dessus, sombre crétine! Sache que dans le palais de Lloth, tout n'est qu'illusion... Bon, eh bien, il ne me reste plus qu'à souhaiter un bon appétit à la gardienne des lieux. Et à toi... une mort aussi lente que douloureuse. Adieu!

— Sylnooooor, non! Attends! se lamenta Luna. .

Mais Sylnor disparut sous une grande arche, dans la lueur ténue des torches murales, laissant sa sœur prisonnière du piège maléfique.

Des larmes d'amertume glissèrent sur les joues pâles de l'elfe de lune. Si Ambrethil savait ce qu'on avait fait de sa fille cadette, elle serait morte de désespoir. Comment des prêtresses, aussi cruelles et perfides soient-elles, avaient-elles pu transformer à ce point une jeune fille? Comment, à dix ans, pouvait-on piéger sa propre sœur, se réjouir de l'offrir aux crochets d'une araignée géante et lui souhaiter mille souffrances? Sylnor était devenue aussi retorse et sadique que Matrone Zesstra! Et dire que Luna avait eu pitié d'elle!

Maintenant, tout était fini...

Emmaillotée dans la soie, l'adolescente ne pouvait plus faire le moindre mouvement. Elle savait également que l'araignée arriverait sans un bruit, sans une vibration et que, lorsqu'elle sentirait les frôlements de ses pédipalpes contre son dos, il serait trop tard pour utiliser son pouvoir...

Luna n'avait plus qu'à attendre la mort.

Alors, le visage baigné de larmes brûlantes, l'elfe songea à sa mère adorée, à ses cheveux d'or et à son doux parfum, à Elbion, son frère loup qu'elle chérissait plus que tout et qui ne l'aurait jamais trahi, lui! Puis, ses pensées se tournèrent vers le Marécageux, qu'elle aimait tant... et dire qu'elle ignorait s'il était encore en vie ou non... Enfin, elle se rappela le beau visage de Kendhal et leur fantastique aventure. Sauver la source et l'esprit de Ravenstein avait été une formida...

« L'esprit de Ravenstein! »

Les mots de son grand-père lui revinrent en mémoire avec la force d'une gifle :

« ... l'esprit de Ravenstein a touché *ton* esprit, vous êtes désormais liés à jamais. À présent, où que tu sois, il pourra entrer en contact avec toi et inversement. Mais n'abuse pas de ce pouvoir exceptionnel, Sylnodel! On ne dérange pas un esprit sans motif valable... »

Si ça, ce n'était pas un motif valable!

Luna retrouva une once d'espoir et banda son esprit vers celui de la magnifique forêt afin de tenter d'entrer en contact avec elle. Dans le noir absolu de ses paupières closes, elle s'immergea à la recherche de la lueur de vie, seule capable de la sauver.

Tout absorbée dans ses pensées, elle n'entendit pas le cliquetis humide qui grinça à moins d'un mètre d'elle.

Alors, une vague de lumière intense submergea le cerveau de Luna. L'esprit de Ravenstein avait entendu son appel au secours et, sans que l'adolescente ait besoin de parler, avait saisi toute l'horreur de la situation.

La gardienne bavait de satisfaction devant cette proie si appétissante. Elle n'était pas bien grosse, certes, mais l'araignée ne ferait pas la difficile. Cela faisait longtemps qu'elle n'avait pu se repaître d'un mets aussi exquis.

Soudain, devant ses multiples yeux ahuris, elle vit les fils qui retenaient captif le petit corps sauter un à un. La créature recula, déroutée. Jamais, de mémoire d'arachnide, on n'avait vu une proie se libérer des solides soies qui l'entravaient!

Pourtant, en moins de trois secondes, Luna fut libérée.

L'adolescente se retourna vivement et, surmontant sa frayeur à la vue de l'araignée géante, détala en direction de l'autre bord du gouffre. Grâce à une ancienne magie naturelle, l'esprit de la forêt l'avait immunisée contre les pièges de la toile et désormais, Luna pouvait s'y mouvoir en toute liberté. Le mucus gluant n'avait plus aucune prise sur elle.

Néanmoins, passée sa stupeur, le monstre n'avait pas attendu pour s'élancer à la poursuite de son repas qui lui échappait. Ses chélicères cliquetaient de fureur.

Or on avance beaucoup plus vite à huit pattes qu'à deux. Surtout sur une toile!

Luna jeta un œil affolé derrière elle. L'araignée allait la rattraper.

Non! Pas si près du but!

L'adolescente hésitait à s'arrêter pour utiliser son pouvoir, car elle doutait que la prédatrice lui en laisse le temps... Entre courir et se concentrer, il fallait hélas choisir.

Luna, à bout de forces, fixa le bord du précipice, à une dizaine de mètres devant elle. « Je vais y arriver, s'encouragea-t-elle, je *dois* y arriver! » Ses yeux, tels deux hameçons, harponnèrent alors la roche et... curieusement, Luna se sentit comme aspirée en avant par une force invisible. Volant presque, elle se trouva en moins d'une seconde de l'autre côté du gouffre.

Luna n'avait rien compris à ce nouveau prodige, mais elle s'en fichait... La seule chose qui comptait était d'avoir réussi. Elle grimpa sans mal le rebord de la fosse et se retourna rapidement. Elle avisa alors sa poursuivante encore en contrebas et fit appel à son mystérieux pouvoir pour la foudroyer. Une vague d'énergie balaya violemment l'arachnide, qui se replia sur elle-même, terrassée par cette force incroyable.

Désormais, la gardienne ne ferait plus de mal à personne!

Après quoi, Luna se dirigea vers la sortie, sans doute celle qu'avait empruntée sa sœur quelques minutes plus tôt. Elle jeta un regard en arrière, vers la passerelle métallique, et ne put s'empêcher de revenir sur ses pas. Elle devait en avoir le cœur net.

Se tenant fermement aux rambardes métalliques, elle s'aventura sur le pont et, à l'endroit exact où celui-ci s'arrêtait, elle sonda le vide avec son pied. Quel ne fut pas son étonnement de sentir le métal là où ses yeux ne voyaient rien! La passerelle n'était pas cassée comme elle l'avait cru, elle était effectivement *invisible*. Cette peste de Sylnor avait raison!

Et dire que Luna était passée devant une dizaine de ponts sans se douter qu'ils lui offraient autant de chances de sortir de là... en évitant de risquer sa vie sur la toile!

Tout en maudissant sa sœur, Luna s'engouffra plus profondément dans le royaume de Lloth.

Le long couloir, taillé au cœur du marbre, serpentait en pente douce vers un étage inférieur. Il était éclairé par des lumignons dorés qui s'allumaient à mesure que Luna progressait, s'éteignant ensuite dans son dos. C'était à la fois joli et inquiétant. L'adolescente sentait que ce mystérieux endroit était imprégné d'une puissante magie. Elle ignorait encore où elle se trouvait, mais avait compris que dans cet endroit, les apparences étaient souvent trompeuses. Dorénavant, elle se méfierait.

Tout en cheminant, Luna songea à l'étrange force qui l'avait projetée de l'autre côté du précipice. Elle avait presque eu l'impression de voler! Pourtant, c'était impossible... Elle ne savait pas voler, elle n'avait fait que braquer ses yeux sur la roche et...

Soudain, l'image de la très lourde plaque de la prison de Darkhan lui revint en mémoire. C'étaient ses yeux, braqués sur la grille, qui l'avaient descellée et soulevée en l'air pour la faire atterrir dans le lac souterrain. Darkhan avait appelé cela de la... télékinésie! Peut-être que c'était tout simplement ça, mais comme la roche était beaucoup trop lourde et volumineuse pour voler jusqu'à elle, c'était Luna qui avait volé jusqu'à la roche... Oui, cela semblait logique.

Luna hocha la tête, ravie de découvrir une nouvelle facette de son pouvoir. On ne sait jamais, cela pouvait se révéler terriblement utile.

Surtout dans ce monde étrange...

La galerie qui s'enfonçait au plus profond des entrailles de la Terre semblait ne jamais vouloir se finir. À force d'en parcourir les méandres interminables, Luna ne sentait plus ses jambes. Elle avait horriblement soif et faim. La plaie à vif de sa main lui faisait de plus en plus mal.

Pourquoi Matrone Zesstra l'avait-elle envoyée ici? Personne ne viendrait jamais la sauver. D'ailleurs, qui savait qu'elle était là? Luna regretta soudain de n'avoir pas pu communiquer davantage avec l'esprit de Ravenstein. Il avait senti le danger et réagi immédiatement, certes, mais Luna aurait aimé pouvoir lui dire qu'elle était retenue prisonnière au fin fond de Rhasgarrok, pour que son grand-père vienne à son secours. Tant pis... après tout, l'essentiel, c'était de s'être débarrassée de cette vilaine araignée géante.

Luna haussa les épaules. Bien sûr, elle aurait peut-être pu entrer de nouveau en contact avec la forêt, mais elle ne voulait pas la déranger davantage. Elle pourrait avoir besoin de son aide très prochainement et ne voulait surtout pas gaspiller ses chances de survie...

Bientôt, l'interminable couloir déboucha sur une esplanade de marbre, aussi lisse qu'un lac aux eaux noires. Tout autour de la salle, les murs circulaires étaient percés de dizaines et de dizaines de gueules sombres, révélant autant de couloirs. Au plafond pendait un gigantesque lustre dont les ors se reflétaient dans le miroir du sol.

Luna s'avança prudemment, observant son reflet. De sa jolie natte s'échappaient des mèches folles qui cascadaient à présent sur ses frêles épaules. Ses joues étaient creusées par la fatigue. Ses yeux clairs ne lui renvoyaient qu'une lueur désenchantée.

Luna avait du mal à se reconnaître. Elle se trouvait affaiblie, amaigrie presque, comme si elle errait dans ce labyrinthe, sans boire et sans manger, depuis des jours et des jours...

Tout en se dirigeant vers le centre de l'esplanade, l'adolescente aperçut soudain un trou dans le sol. Elle s'en approcha prudemment, mais ne distingua que l'obscurité infinie d'un puits sans fond. Luna hésita un instant, perplexe. N'ayant pas d'autre choix, elle s'assit sur le bord de cette fosse verticale et sonda le vide avec son pied. Comme elle s'y était attendue, sa ballerine rencontra une marche, puis une autre...

Une nouvelle illusion!

Luna, à bout de forces, serait bien restée assise là, attendant son dernier souffle. Pourtant, une étincelle d'espoir la poussa à continuer. Résignée, elle posa les deux pieds sur cet escalier invisible et entama la descente.

C'était certainement l'une des sensations les plus étranges de sa vie. S'enfoncer dans le noir absolu, que même ses yeux nyctalopes ne pouvaient déchirer. Seules ses mains, glissant sur une rambarde métallique invisible, guidaient ses pieds. À chacun de ses pas,

Luna craignait de ne plus sentir la marche salvatrice qui la mènerait chaque fois un peu plus bas. À mesure qu'elle s'enfonçait dans les ténèbres, l'air se faisait plus frais. Sa peau se hérissa sous des frissons incontrôlables. La descente n'en finissait pas. L'unique élément qui brisait cette lancinante monotonie était la morsure du froid, de plus en plus profonde et douloureuse.

Un froid glacial. Mortel.

Tout à coup, ses pieds engourdis ne rencontrèrent plus de marches! Luna chuta sur les dalles du sol.

L'adolescente, frigorifiée, ne comprit qu'à moitié qu'elle était enfin parvenue au bas du monumental escalier. Ne trouvant plus la force de se relever, Luna, grelottante, s'agenouilla par terre et serra ses bras autour de ses frêles épaules pour conserver le peu de chaleur qui lui restait.

Soudain, une voix venue d'outre-tombe la tira de sa léthargie.

— Sois la bienvenue au cœur de mon Royaume, Sylnodel!

Une onde de panique balaya le cerveau de Luna.

— Qui... qui êtes-vous? demanda-t-elle, à demi redressée, sans pouvoir s'empêcher de claquer des dents.

— Quelle étrange question... Ta sœur a tout de suite compris qui était la Maîtresse des lieux. Serais-tu moins fine?

Comme l'adolescente restait silencieuse, la voix reprit, plus forte, plus glaciale encore :

— Je suis celle que vénèrent des milliers de drows assoiffés de vengeance! Je suis celle dont le seul nom suffit à faire trembler mes ennemis! Je suis celle qui règne sur les ténèbres de la magie noire! Je suis la déesse Araignée, la toute-puissante Lloth!

Une vague de terreur déferla alors dans l'esprit de Luna.

7

Halfar, le poing toujours en l'air, prêt à frapper, dévisagea son adversaire avec stupeur.

Sans sa large capuche, ses yeux avaient perdu leur inquiétante lueur écarlate, son teint doré n'avait plus rien à voir avec la peau sombre d'un elfe noir!

Celui qu'Halfar avait d'abord pris pour un rôdeur, puis pour un maléfique incantateur drow, n'était en réalité qu'un adolescent et en plus, il le connaissait!

Une bouffée de colère l'envahit.

— Kendhal? Mais... qu'est-ce tu fiches ici? s'exclama-t-il, en l'empoignant par le col.

— Tu... tu m'empêches de respirer! Bouge de là! suffoqua le garçon, écrasé par son adversaire.

— Pas tant que tu ne m'auras pas dit ce que tu fabriques dans cette clairière au beau milieu de la nuit! rétorqua Halfar en s'appuyant davantage sur la poitrine de Kendhal.

— Et toi? souffla l'autre sur un ton accusateur. Pourquoi galopes-tu depuis deux jours vers le nord en compagnie d'Elbion? Tu t'enfuis vers Rhasgarrok, n'est-ce pas?

— Tu m'espionnais! Hein, c'est ça? cracha Halfar avec mépris. C'est mon grand-père qui t'a demandé de me suivre?

— Si tu veux que je te réponde, pousse-toi! Tu m'écrases!

Halfar pesta, mais finit par obéir de mauvaise grâce.

Kendhal poussa un gémissement soulagé et se redressa en grimaçant. Il passa le revers de sa main sur sa bouche et constata que sa lèvre inférieure saignait abondamment.

— Tu n'y es pas allé de main morte, dis donc!

— Je sais me servir de mes poings, moi! Contrairement à toi... Inutile de se déguiser en drow lorsqu'on ne sait pas se battre! le railla Halfar.

— J'aurai pu utiliser ma magie, mais je n'avais pas envie de te tuer!

— Bien sûr! rétorqua le garçon avec ironie. Dis-moi plutôt qui t'a ordonné de m'espionner!

Kendhal se planta alors devant lui et le fixa de ses yeux dorés.

— Personne ne m'a demandé de le faire! C'est juste que j'ai trouvé ton comportement très étrange lorsque tu as demandé à Elbion de t'accompagner aux écuries. De plus, tu m'as dit que tu n'avais pas vu Luna... alors qu'elle était partie te retrouver dans la chambre de la prisonnière drow. Alors, j'ai foncé à l'infirmerie, déjà en ébullition. Tout le monde paniquait, se demandant où étaient passées l'elfe noire et Luna! J'en ai déduit qu'il lui était arrivé quelque chose... et que toi, tu étais au courant! Je suis donc passé prendre quelques affaires et j'ai filé jusqu'aux écuries. Là-bas, on m'a sellé une jument et je n'ai eu qu'à suivre ta piste...

— Tu sais pister quelqu'un, toi? s'étonna Halfar entre ses dents.

— Oui, la magie sert à beaucoup de choses, figure-toi! Et j'aurais pu suivre tes traces encore longtemps si Elbion n'avait pas flairé mon odeur, cette nuit. Il a été un peu déconcerté par l'apparence que me donne ma cape magique, mais il a vite reconnu ma voix et mes paroles l'ont apaisé.

Et dire qu'Halfar avait cru qu'il s'agissait d'incantations maléfiques destinées à ensorceler le loup... Un peu honteux, il décida de changer de sujet:

— Où est ta monture?

— Coriandre? Elle m'attend sagement... J'ai attaché sa longe à un hêtre, un peu plus loin... fit l'adolescent, accompagnant ses propos d'un geste du menton. Mais dis-moi, il y a un détail que je suis curieux de connaître... Pourquoi t'es-tu d'abord dirigé vers l'est, avant de prendre la direction du nord sans crier gare? Tu n'avais pas envie qu'on sache que tu te rendais à Rhasgarrok, n'est-ce pas? Hérildur t'avait même peut-être demandé d'aller prévenir ton père ou ton frère à Belle-Côte avant qu'ils ne s'embarquent? Pour qu'ils t'accompagnent... C'est ça, hein?

— Écrase! lui ordonna Halfar, en lui jetant un regard noir. Cela ne te regarde pas! Tu vas immédiatement remonter sur ta jument et déguerpir d'ici! Maintenant!

— Pas question! laissa tomber l'elfe doré d'une voix ferme. Je veux savoir ce qui est arrivé à Luna! Dis-le-moi!

— Luna est *ma* cousine. Ce ne sont pas tes affaires!

— Oui, mais c'est également *mon* amie! Et si elle est en danger, je veux t'aider à la sauver!

— Dégage! aboya Halfar en serrant les poings, de nouveau prêt à cogner.

— Tu peux me frapper tant que tu voudras, ce n'est pas ça qui me fera renoncer à te suivre.

De toute façon, tu n'as pas intérêt à ce que je rentre à Laltharils...

— Pourquoi ça?

— Parce que, une fois là-bas, la première personne que j'irai voir, c'est Hérildur. Et je doute que ton grand-père apprécie que tu lui désobéisses! Alors, maintenant, dis-moi où est Luna!

Halfar enrageait. Déjà qu'il n'appréciait pas franchement les elfes dorés (si ces prétentieux, aussi suffisants qu'arrogants, avaient daigné venir plus vite au secours de son peuple, sa mère serait encore en vie aujourd'hui!), mais ce Kendhal dépassait les bornes. D'abord, il l'espionnait, ensuite il l'accusait et maintenant, voilà qu'il lui faisait du chantage... Ç'en était trop! Pourtant, Halfar n'avait pas vraiment le choix : impossible de le laisser aller tout raconter à Hérildur!

Une main sur le menton, Halfar réfléchissait à ce qu'il allait révéler à Kendhal. Hors de question de lui avouer sa stupide vengeance ainsi que sa culpabilité dans la disparition de Luna. Il décida alors d'arranger la vérité à son avantage...

— Lorsque Luna est venue me retrouver au chevet de la drow, celle-ci venait juste de se réveiller... Comme l'elfe noire gémissait de douleur, Luna s'est approchée d'elle et pouf! Elles ont disparu toutes les deux avant que j'aie pu faire le moindre geste. J'ai aussitôt couru prévenir Hérildur, qui m'a supplié d'aller lui porter secours!

— *Supplié*, vraiment? ironisa Kendhal en levant les yeux au ciel. Je vois mal ton grand-père *supplier* qui que ce soit... Enfin, bref, quelle que soit ta version des faits, je t'accompagne dans la cité maudite. Avec mon déguisement et mes bras couverts de suie, je n'aurai aucun mal à me faire passer pour un drow! Même toi, tu t'es laissé prendre au piège, n'est-ce pas?

Halfar se contenta de grogner en haussant les épaules. Il rongeait son frein. Il regrettait de n'avoir pas frappé plus fort tout à l'heure... De retour au campement, l'adolescent raviva le feu presque éteint, après quoi il s'enroula dans sa cape, s'allongea de nouveau sur le sable glacé et regarda les braises rougeoyer dans l'obscurité. Quelques minutes plus tard, en entendant Kendhal arriver avec sa jument et Elbion, il se tourna de l'autre côté et ferma les yeux, plein de rage et de haine.

D'accord, il laisserait Kendhal chevaucher à ses côtés, mais une fois à Dernière Chance, il trouverait bien le moyen de se débarrasser de cet indésirable...

Le lendemain matin, une pluie fine et désagréable tira Halfar de son sommeil. La nuit n'avait pas dissipé sa mauvaise humeur, au contraire! En apercevant le corps de Kendhal à côté des cendres noyées du foyer, il lui asséna un coup de pied dans le dos.

— Debout, grosse feignasse! s'écria-t-il.

— Va te faire voir! maugréa l'autre.

Ce furent les seules paroles qu'ils échangèrent de la journée.

La bruine ne cessa de tomber, lancinante et glacée, trempant jusqu'aux os les deux cavaliers. Comme la veille, Halfar ménagea sa monture – et ses cuisses à vif, dont la douleur intolérable lui arrachait parfois des gémissements sourds – en s'autorisant quelques pauses, si possible sous un abri de fortune. En milieu de journée, les épaisses aiguilles d'un immense sapin les protégèrent le temps du déjeuner. Halfar avait eu la chance de chasser, quelques heures plus tôt, un lièvre qu'il dévora de bel appétit et dont il offrit les restes à Elbion. Kendhal se contenta de deux cailles complètement calcinées. Sa boule de feu était peut-être un peu disproportionnée pour ce genre de proie...

Ils se remirent en route sans s'adresser un seul mot et galopèrent à travers la plaine vallonnée sous une pluie battante. Lorsque le jour commença à décliner, les deux garçons, dégouttants et transis de froid, aperçurent enfin les lueurs blafardes de Dernière Chance.

Halfar ralentit et se tourna vers Kendhal.

— Nous allons passer la nuit là-bas! décréta-t-il en montrant le hameau du doigt.

— Dans ce trou à gobelins? C'est une plaisanterie! rétorqua Kendhal, dont le regard artificiel flamboyait dans l'obscurité de sa capuche.

— Non, pourquoi? Les gobelins ne sont pas assez bien pour un elfe de soleil, je présume?

— Ce n'est pas ça, mais... je doute que l'endroit soit très accueillant et je n'ai...

— Si tu veux dormir sous ces trombes d'eau, libre à toi! Moi, je préfère être au sec! rétorqua Halfar en incitant Jaspe à trotter vers le hameau perdu dans les ténèbres.

Kendhal, ruminant sa désapprobation, préféra néanmoins le suivre.

Si déjà, de loin, le village des gobelins semblait assez lugubre, de près, il était franchement sinistre. Ce que la nuit faisait apparaître comme des maisons n'était en réalité que masures et granges délabrées, dont les portes défoncées et les volets arrachés gémissaient au gré du vent. Derrière les carreaux sales, dans la lumière blafarde des âtres, se mouvaient des formes inquiétantes.

Halfar, tête haute, faisait son possible pour faire bonne figure, mais il n'en menait pas large. Tout seul, il aurait fui au triple galop et trouvé un vieil arbre pour l'abriter... mais maintenant, il lui était impossible de se défiler. D'abord, il ne voulait pas perdre la face devant Kendhal, et ensuite, il avait besoin des gobelins pour le débarrasser de ce pot de colle!

Tout en évitant les flaques boueuses qui trouaient la rue principale du hameau fantôme, Halfar jetait des regards soupçonneux dans les ruelles transversales, aussi sombres que sordides. Soudain, il avisa l'enseigne, branlante et grinçante, d'une auberge. Certainement la seule du village. Il signifia à Jaspe de s'arrêter.

— *La Tête qui roule*, lut Kendhal. Hum... Charmant! Je crois que je préfère encore la pluie, en fait...

— Eh bien, vas-y, te gêne pas! cracha Halfar, à bout de nerfs.

— Désolé, je ne t'offrirai pas cette joie! Je préfère rester et veiller sur Elbion. Luna nous en voudrait terriblement s'il arrivait malheur à son frère de lait. Et les dieux seuls savent à quel point les gobelins sont imprévisibles...

— Je suis tout à fait capable de protéger Elbion!

— Oui... ou le contraire! gloussa Kendhal.

— La ferme! aboya Halfar en mettant pied à terre.

Ses bottes s'enfoncèrent dans la boue avec un bruit de succion désagréable. Il attacha les rênes de Jaspe à un crochet fiché dans le mur et monta les trois marches du perron. Elbion, dont le beau pelage ivoire avait pris des teintes marron sale, le suivit en grognant. Les rires gras qui traversaient le bois des murs semblaient le rendre nerveux. Halfar poussa néanmoins la porte d'un coup d'épaule et pénétra dans l'auberge.

Là, une douzaine de gobelins pouilleux, attablés autour d'une longue planche couverte de taches de graisse, interrompirent leurs conversations pour le dévisager d'un air sournois. Mais en se rendant compte que le nouvel arrivant était un drow, ils échangèrent des regards apeurés. Halfar avait beau n'être qu'un adolescent, pas un seul gobelin n'osa broncher. Et lorsque, derrière lui, apparurent le grand loup et la silhouette encapuchonnée aux yeux écarlates, les misérables créatures blêmirent de frayeur. Même l'aubergiste, qui remplissait une chope, tenait encore la bouteille en l'air, comme paralysé par la peur.

L'odeur qui régnait dans ce bouge immonde était un mélange de vinasse, d'huile rance, de sueur et d'urine. Halfar surmonta son dégoût et se dirigea vers le propriétaire des lieux.

L'aubergiste avait des yeux globuleux que son petit front rendait encore plus proéminents. Son teint verdâtre, son nez boursouflé par l'alcool et sa bouche tordue ajoutaient encore à la laideur naturelle des gobelins. Les nombreuses balafres, dont certaines à peine cicatrisées, qui émaillaient sa face étaient révélatrices des mœurs particulières de ce peuple belliqueux.

Halfar devrait jouer serré s'il voulait maintenir l'illusion qu'ils étaient des proies trop grosses pour de minables gobelins.

— Deux chambres! ordonna Halfar en toisant l'aubergiste avec dédain. Et deux stalles dans l'écurie pour nos chevaux.

— Bien... bien sûr, maître... s'empressa de balbutier l'autre d'un air obséquieux. Mais... je n'ai... je n'ai plus qu'une... qu'une seule chambre... et elle n'est pas très... Enfin, elle n'a pas de fenêtre et...

— Ça fera l'affaire!

— Oh... parfait. Bon, ben... c'est... c'est en haut, indiqua le gobelin en levant le menton. Première porte à droite... et pour vos... vos bêtes (il jeta un regard désapprobateur en direction d'Elbion), c'est dehors, juste à côté, sur vot' gauche.

— Le loup dort avec nous! s'empressa d'ajouter Kendhal.

— Non! répliqua Halfar. Il surveillera les chevaux. Les gobelins sont réputés pour arnaquer, détrousser et même trucider les voyageurs naïfs qui ont le malheur de passer la nuit chez eux... Mais ce n'est pas notre cas! cracha-t-il en fixant l'aubergiste d'un regard entendu. Alors, pas d'entourloupe, patron, sinon, mon... ami et moi-même vous ferons tester quelques tortures que vous ne serez pas près d'oublier.

— Bien... bien sûr, maître... murmura le gobelin, livide. Pas d'en... d'entourloupe, promis!

Halfar se tourna ensuite vers son compagnon.

— Montez, *votre altesse*! Je m'occupe des montures!

Kendhal eut un temps d'hésitation, mais grâce à la cape qui occultait entièrement son visage, les gobelins ne remarquèrent rien de sa stupéfaction. Au contraire, lorsque l'inquiétante silhouette encapuchonnée au regard rougeoyant grimpa l'escalier, ils le suivirent des yeux d'un air craintif et respectueux.

En ressortant pour s'occuper de Jaspe et Coriandre, Halfar ricana, content de lui. Il savait que l'imagination fertile des gobelins jouerait en leur faveur. Qui était donc ce prince de la nuit, ce maître des ténèbres qui leur faisait l'insigne honneur de passer la nuit chez eux? En tout cas, pas question de prendre le risque de les attaquer sournoisement!

Halfar se dépêcha de mettre les deux chevaux à l'abri. Même si l'écurie tenait plus du cabanon décrépi, au moins les bêtes passeraient la nuit au sec. Il les dessella, leur donna un peu de foin et leur flatta l'encolure avant de s'adresser à Elbion, comme il avait vu Luna le faire.

— Veille bien sur nos amis à quatre pattes! Au moindre bruit suspect, hurle et j'accours.

Il lui caressa la tête avec tendresse et s'en alla.

Lorsque Halfar entra de nouveau dans l'auberge, les conversations cessèrent d'un coup et les gobelins le suivirent des yeux avec méfiance. Le garçon s'empressa de monter pour rejoindre Halfar. Sur le palier, il tourna à droite et pénétra dans la chambre.

L'endroit minuscule sentait la moisissure et l'urine. De grandes auréoles brunes recouvraient les murs. Le sol aussi était parsemé de taches d'origine indéterminée. Dans un coin, une table branlante et une paillasse qui devait grouiller de vermine. Halfar ne put réprimer une grimace de dégoût.

— C'est le luxe, n'est-ce pas? ironisa Kendhal.

— La ferme! aboya Halfar en continuant son inspection de la chambre.

Pas de fenêtre. La porte en bois, munie d'une serrure et d'une clé en fer, semblait solide. Une petite chatière y avait été aménagée.

Ce détail, aussi insignifiant soit-il, lui donna une idée...

Une excellente idée!

— Dis, Halfar, pourquoi m'as-tu appelé *altesse*, tout à l'heure? demanda l'elfe doré en ôtant sa cape trempée, qu'il suspendit à une patère.

— Laisse tomber! s'écria Halfar en se précipitant hors de la pièce. Bouge pas! J'arrive tout de suite!

Kendhal, perplexe, l'entendit dévaler l'escalier, se demandant quelle mouche l'avait piqué...

En voyant réapparaître le jeune drow, les gobelins ouvrirent des yeux ronds. De nouveau, les discussions s'évanouirent, plongeant la salle dans un silence pesant. N'y prenant garde, Halfar contourna le bar et se planta devant le gobelin qui rangeait des écuelles mal lavées.

Il avait un marché à lui proposer...

À voix basse, ils parlementèrent un bon moment.

Après une âpre négociation, Halfar finit par glisser discrètement une vingtaine de pièces d'or dans la main crasseuse du gobelin.

Lorsque le garçon gravit de nouveau les marches, deux bols de soupe fumante sur un plateau, un sourire malveillant déformait déjà l'horrible bouche de l'aubergiste.

Les yeux brillants de fourberie, il étouffa un rire gras.

Bientôt, il serait le gobelin le plus riche du village!

8

D'un coup, un rai de lumière inonda l'espace où Luna se trouvait. L'adolescente, éblouie, protégea ses yeux meurtris au creux de ses mains.

— Regarde-moi, Sylnodel! ordonna la déesse d'une voix autoritaire.

Luna, engourdie par le froid intense, grelottante, épuisée et tiraillée par la soif et la faim, obéit machinalement. Puisant dans ses dernières forces, elle se redressa et fit lentement glisser ses mains le long de ses joues blêmes. Mais en apercevant la créature qui lui faisait face, Luna les plaqua contre sa bouche pour étouffer un cri d'effroi.

La vision de la déesse la tétanisa.

Lloth était une Veuve Noire de plus de deux mètres de haut, dont le corps d'arachnide à l'abdomen rebondi était juché sur huit pattes aussi fines que longues. Mais son apparente fragilité n'était qu'un leurre : une armure de plaques métalliques noires lui offrait une protection parfaite. Une aura d'invincibilité émanait de la déesse Araignée.

Pourtant, pas de chélicères aux crochets venimeux, ni d'yeux multiples et globuleux, car son visage était celui d'une drow... magnifique! Ses cheveux noirs remontés en chignon, son front haut, ses yeux en amande, son nez aquilin, ses lèvres délicatement ourlées... Elle était réellement très belle. Cependant, les pédipalpes qui s'activaient sous son cou révélaient sa vraie nature. Elle n'était qu'une aberration monstrueuse! Une créature gorgée de vengeance qui se nourrissait de la haine des drows, savourant les exactions et les sanglants sacrifices qu'on commettait en son nom.

Luna surmonta son aversion et se releva pour reculer, mais pas aussi vite qu'elle l'aurait voulu. Toutefois, le délicat visage de la déesse se fendit d'un large sourire, étrangement bienveillant.

— N'aie pas peur, ma belle, je ne te veux aucun mal...

— Où est ma sœur? s'écria Luna en continuant à reculer, tout en claquant des dents.

Elle aurait voulu échapper à l'emprise de la déesse, mais à chaque pas qu'elle faisait, Lloth en faisait deux dans sa direction.

— Ne te tracasse pas pour elle, Sylnor est en sécurité... murmura la déesse d'une voix douce. Je me trompe ou tu as froid? Tu es livide... Je sens également que tu as soif et très faim. Par ailleurs, ta main te fait souffrir, n'est-ce pas? Tu es à bout de forces, pauvre petite mortelle. Laisse-moi t'aider!

— Pour que vous liquéfiiez mon cerveau avec votre venin pour mieux l'aspirer ensuite? Jamais! hurla Luna en sentant son cœur s'affoler.

Un rire franc fit écho à la colère de l'adolescente.

— Je vois que tu es plutôt bien renseignée, mais rassure-toi, je ne possède pas de crochets, ni de glandes à venin. Je n'ai pas besoin de ça... Mes immenses pouvoirs me suffisent pour venir à bout de mes proies. Néanmoins, je ne te considère pas comme telle... du moins, pas encore. Malgré le traitement que tu as réservé à mes filles...

Tout en continuant à reculer, Luna se sentit défaillir.

— Tu les as toutes tuées... reprit Lloth. Pourtant, je ne t'en veux pas. Tu vois, je ne suis pas rancunière... En réalité, il s'agissait d'épreuves et tu les as brillamment franchies. Je ne te cache pas que tes surprenantes facultés m'ont vraiment impressionnée. Au fait, inutile de les essayer contre moi : la douleur que tu as ressentie en t'opposant à ma grande prêtresse n'est rien comparativement à celle que je suis capable d'infliger... Mais je suis sûre que tu l'avais déjà deviné, n'est-ce pas? Maintenant, sois raisonnable... Laisse-moi apaiser tes souffrances de mortelle.

— Non! rétorqua Luna en tremblant de plus belle. Répondez d'abord à mes questions!

La déesse frotta nerveusement ses pédipalpes, mais son visage ne trahit aucune émotion.

— Si tu me laisses t'aider, je répondrai à *toutes* tes questions. Si tu refuses, je devrai me montrer un peu plus *persuasive*...

La menace latente contenue dans le dernier mot finit de convaincre l'elfe. De toute façon, elle était trop faible physiquement et mentalement pour s'opposer à Lloth. Au bord de l'évanouissement, elle ferma les yeux, prostrée, attendant le baiser fatal de la Veuve Noire.

Cependant, au moment précis où les pédipalpes de la déesse effleurèrent la chevelure d'argent de Luna, une onde de chaleur bienfaisante se déversa immédiatement dans son corps transi. Aussitôt, la terrible soif qui la taraudait depuis plusieurs heures s'évanouit, et les spasmes douloureux de son estomac vide furent également balayés, pour laisser place à une étonnante sensation de bien-être. Même les blessures infligées par Sylnor ne la faisaient plus souffrir. Tous ses muscles se relâchèrent progressivement, son cerveau se laissa flotter dans les vapeurs cotonneuses d'une douce et paisible éternité. Jamais elle ne s'était sentie aussi merveilleusement bien. Ce moment de plénitude aurait pu durer toujours si son esprit méfiant n'était parvenu à surnager dans cet océan de bonheur qui l'engloutissait tout entière.

Elle se réveilla en sursaut et recula vivement.

— Déjà? s'étonna la déesse. Tu aurais pu profiter davantage des bienfaits que procure l'immortalité... Tu te sens mieux?

— Beaucoup, oui, merci! rétorqua froidement Luna. Maintenant, répondez à mes questions!

— Je vois que ce n'est pas la gratitude qui t'étouffe, grinça Lloth entre ses dents. Mais une promesse est une promesse. Vas-y, je t'écoute!

Luna, qui ne s'attendait pas à ce que la déesse accepte aussi facilement, se trouva un moment décontenancée. Par quoi commencer? Elle avait tellement d'interrogations.

— Où sommes-nous? demanda-t-elle finalement.

— Dans mon antre...

— C'est-à-dire? Pouvez-vous être plus précise?

Lloth soupira, mais répondit :

— Nous sommes au royaume des dieux et tu te trouves actuellement dans ma sphère.

— Dans votre *quoi*?

— Les sphères sont les domaines personnels de chaque dieu. Elles sont situées dans un monde à part et il nous est impossible de les quitter, mais nos pouvoirs sont tels que nous avons la capacité d'interférer dans le monde des humains pour exaucer nos désirs et imposer nos volontés.

Luna, abasourdie, avait du mal à en croire ses oreilles.

— Vous dites que nous sommes dans un monde à part... Pourtant, nous sommes *sous* Rhasgarrok, non?

— Absolument pas. Nous sommes très loin, dans un autre plan pour être plus précise. Mais il existe dans votre monde quelques chemins qui conduisent jusque chez nous...

— Existe-t-il également des chemins *de retour*?

— Oui, mais leur accès se mérite! lui apprit Lloth avec un sourire énigmatique.

— Ah, je vois... et je suppose que vous ne m'indiquerez la sortie que lorsque j'aurai accompli une sorte de mission pour vous, non?

— Tu es très perspicace, Sylnodel, et ça me plaît!

— Au fait, comment savez-vous mon nom... enfin, mon *vrai* nom?

— Les dieux sont omniscients. Nous savons tout. Ta vie n'a aucun secret pour moi : depuis ta naissance et ton enfance parmi les loups jusqu'à ton escapade à Rhasgarrok et ton retour à Laltharils. Je sais que, grâce à Darkhan, tu as retrouvé ta mère et également tué ton propre père. J'ai même vu que tu avais dernièrement contrecarré les plans de Matrone Zesstra en sauvant l'esprit de Ravenstein... Tu vois, je sais tout...

Ces révélations laissèrent Luna perplexe. Soudain, un éclair d'espoir illumina son esprit :

— Alors, vous pouvez me dire si le Marécageux est encore en vie?

Le sourire de Lloth disparut. Elle eut une moue pensive avant de trancher :

— Qu'est-ce que cela peut bien faire? Ce qui compte, c'est que *toi*, tu sois vivante!

— C'est très important pour moi... la supplia Luna en joignant ses mains dans une muette prière.

— Je te le dirai peut-être, plus tard... Bon, tu n'as plus de questions?

Luna fit mine de réfléchir.

— Si. J'en ai encore deux. D'abord, qu'avez-vous fait de ma sœur?

— Et la deuxième?

— Pourquoi sommes-nous là, Sylnor et moi?

Les pédipalpes de la déesse s'agitèrent frénétiquement pendant que ses yeux étincelaient de joie.

— Nous y voilà! se réjouit Lloth. Vois-tu, Sylnodel, j'attends ton arrivée dans ma sphère depuis tellement longtemps! La prédiction de l'Oracle va enfin pouvoir se réaliser.

Devant l'air interrogateur de Luna, la déesse ajouta :

— J'ai besoin de toi, petite mortelle. En fait, tu me seras d'une aide précieuse... Comme je te l'ai expliqué, je ne peux pas sortir de ma sphère, alors que toi, si...

— Vous voulez que j'aille voir un autre... dieu? Pour vous? s'exclama l'adolescente avec stupeur.

— Exactement! Mais pas n'importe quel dieu. Il s'appelle Abzagal et ce traître détient un artefact qui ne lui appartient pas. Je veux à tout prix le récupérer!

— Il vous l'a volé?

— Pas vraiment. L'artefact n'est pas précisément à moi... mais il n'est pas à lui non plus!

— Si je comprends bien, vous voulez que j'aille *dérober* un objet dans la sphère d'Abzagal? Bigrevert! Je suppose que c'est dangereux d'oser défier un dieu sur son propre territoire et qu'il risque d'être très fâché que je veuille lui voler un objet auquel il est certainement attaché.

— Tu n'as pas tort, rétorqua Lloth en frottant ses pédipalpes sous le nez de Luna. Mais d'un autre côté, tu n'as pas le choix...

— Ah? Et comment comptez-vous m'y obliger? demanda l'adolescente avec une pointe de défi dans la voix.

— Regarde plutôt ça... rétorqua Lloth, sur le même ton.

Un deuxième rai de lumière jaillit du néant, à une dizaine de mètres de Luna. Dans la crépusculaire lueur dansait un cocon blanchâtre, dont la forme allongée rappelait étrangement une pathétique silhouette humaine.

— Comme tu le vois, ta sœur est en sécurité! se moqua la déesse avec un rire méchant.

Les yeux écarquillés, Luna porta une main à sa bouche pour étouffer un cri d'horreur.

— Est-ce qu'elle est?

— Encore vivante? compléta Lloth en souriant méchamment. Oui, pour l'instant... Mais si tu ne me ramènes pas très vite le Joyau de Glace, je ne donne pas cher de sa pauvre carcasse.

Luna, comme hypnotisée, ne pouvait détacher ses yeux du corps emmailloté de soie.

— Pourquoi devrais-je prendre des risques pour sauver ma sœur? finit-elle par demander. Après tout, elle a cherché à se débarrasser de moi à deux reprises... Nous ne sommes pas franchement liées...

— Je sais! trancha Lloth. L'Oracle parlait de deux sœurs séparées par la haine et la peur. Mais si tu n'aides pas Sylnor, jamais je ne te montrerai le chemin de retour et jamais tu ne reverras Elbion et Ambrethil. De plus, je t'imagine mal annoncer à ta maman chérie que tu as laissé ta petite sœur entre les pattes de Lloth. Elle risquerait de t'en vouloir pour le restant de sa vie... Ce serait dommage, non?

Luna frémit à l'évocation des êtres qui lui étaient les plus chers.

— Si j'accepte, qui me dit que vous tiendrez votre promesse? s'enquit-elle.

— Je t'ai promis d'apaiser tes souffrances, et je t'ai guérie. Je t'ai promis de répondre à toutes tes questions, et je n'en ai esquivé aucune. Si je te dis qu'en échange du Joyau de Glace, je libérerai ta sœur et vous rendrai votre liberté, tu peux me faire confiance.

Luna se frotta le menton, en proie à une vive réflexion. Même si Sylnor n'était qu'une sale gamine, une meurtrière en puissance,

Luna détestait l'idée d'être responsable, même indirectement, de sa mort. Sylnor ne méritait certainement pas que sa sœur aînée risque sa vie pour elle, mais Luna ne tenait pas à vivre accablée de remords.

— J'accepte... mais à une condition! déclara l'elfe de lune. Que vous me disiez la vérité à propos du Marécageux... Maintenant!

Lloth se rembrunit. Elle avait l'habitude d'être crainte et obéie aveuglément. Elle abhorrait qu'on ose discuter ses conditions. Pourtant, cette fois, le jeu en valait bien la chandelle.

— Oui, lâcha-t-elle du bout des lèvres, ce vieux fou est encore vivant... Hélas! car ça m'aurait fait plaisir de t'annoncer le contraire, petite arrogante!

Tandis que Luna soupirait de soulagement, le sinistre linceul blanc qui enfermait Sylnor retourna dans l'obscurité. Un chemin balisé de flambeaux rougeoyants se mit à luire dans les ténèbres.

— Maintenant, suis cette voie jusqu'à la sortie. Une fois à l'extérieur de mon palais, place-toi au bord de la sphère et pense très fort à Abzagal. Une route se dessinera devant toi. Emprunte-la et tu parviendras jusqu'à sa demeure.

Luna hocha la tête et rangea ces informations dans un coin de sa mémoire.

— À quoi ressemble ce joyau? s'enquit-elle. Et où se trouve-t-il?

— Il s'agit d'un diamant gros comme le poing. Translucide et pur comme une cascade de cristal. J'imagine qu'Abzagal le garde précieusement avec tous ses trésors. C'est un collectionneur invétéré, mais je pense qu'il ignore la véritable valeur de cet ancien artefact...

— Et à quoi ressemble Abzagal?

— Heu... à un dieu! Aussi terrible que puissant. Toutefois, moins tu en sauras sur son compte, mieux ce sera. Si jamais il se réveille, utilise ton pouvoir avant qu'il ne te parle. Et quoi qu'il te dise ou te propose, ne l'écoute surtout pas. C'est un affabulateur, un calculateur et un égoïste! Méfie-toi de lui comme de la peste, car si tu prêtes le moindre crédit à ses paroles mielleuses, tu risques bien de ne jamais revoir ta sœur!

— Parce que vous, vous n'êtes pas calculatrice et égoïste, peut-être? ironisa Luna.

Les joues de la déesse s'empourprèrent. Ses longues pattes frémirent de rage.

— Moi, je respecte ma parole, sale impertinente! gronda-t-elle. Dépêche-toi de déguerpir avant que je change d'avis et décide de t'emmailloter à ton tour dans mes fils de soie!

— Non, vous ne le ferez pas, cornedrouille! fit Luna en secouant la tête, car je suis la seule à pouvoir aller récupérer votre fichue pierre. Et si c'est un soi-disant oracle qui vous a annoncé ma venue, vous ne prendrez jamais le risque de le contredire. Je le sais et vous aussi, puisque vous savez tout! Bon, eh bien, il ne vous reste plus qu'à me souhaiter bonne chance!

Luna pivota et se dirigea vers les flammes écarlates.

Écarlates comme le regard de braise de la déesse qui se consumait de haine.

Les flambeaux rouges qui guidaient les pas Luna se mirent à éclairer de larges marches qui s'enfonçaient dans les ténèbres. L'elfe les descendit une à une, durant des heures et des heures, mais curieusement, elle n'éprouvait plus aucune fatigue. Elle n'avait pas envie de dormir. Elle n'avait pas non plus soif ni faim. Quant à sa main et à son bras, ils ne portaient plus aucune trace de l'agression de Sylnor. Les soins prodigués par la déesse avaient été d'une remarquable efficacité!

Soudain, au bas de l'interminable escalier, Luna se trouva face à une porte tellement imposante qu'il lui était impossible de l'appré-hender dans sa globalité. Elle s'approcha et posa la main dessus, à la recherche d'une poignée, mais aussitôt un minuscule battant s'ouvrit devant elle. Curieusement, une lumière vive et chaude comme celle du soleil se déversa sur ses ballerines, inondant le bas de sa robe!

Luna sursauta.

Comment, après une telle distance parcourue *sous* terre, était-il possible d'apercevoir la lumière du jour? Même les explications de Lloth ne suffisaient pas à expliquer ce miracle...

Le cœur battant, l'adolescente s'empressa de se baisser pour franchir la porte.

Elle tituba, aveuglée par les rayons du soleil qui irradiaient à l'extérieur de la sphère. Les yeux fermés, elle savoura la chaleur sur sa peau claire et sourit de bonheur. Elle prit une grande inspiration et se délecta de l'air frais qui chatouillait ses narines.

Quelles sensations agréables!

Elle avait oublié à quel point c'était bon! C'était comme si elle retrouvait l'air libre après plusieurs longues journées de captivité dans l'obscurité. Elle avait l'impression que sa rencontre fatale avec Assyléa remontait à une éternité.

Lorsque Luna ouvrit enfin les yeux, elle eut alors la vision la plus stupéfiante de sa vie!

9

Halfar se glissa par la porte entrouverte de la chambre de l'auberge gobeline.

— À la soupe! annonça-t-il joyeusement en déposant son plateau sur la table.

Kendhal en resta muet de stupeur. Décidément, le cousin de Luna n'avait pas fini de le surprendre! Le sang-mêlé n'avait pas dit un mot de la journée, sauf parfois pour l'envoyer promener, et voilà qu'il lui apportait de quoi dîner! Surprenant...

— Comme nous n'avons rien chassé cet après-midi, je me suis dit qu'un bon potage bien chaud nous ferait du bien, fit-il en se débarrassant de sa cape trempée. Quoique *bon potage* soit certainement exagéré... Les gobelins ne sont pas franchement réputés pour leur cuisine! ajouta-t-il en esquissant un sourire.

Kendhal se détendit et sourit à son tour.

— Tu as eu une excellente idée, Halfar. Je te remercie.

— Pas de quoi... fit l'autre en haussant les épaules. Tu sais, je crois que les choses ont mal commencé entre nous et... puisque nous sommes appelés à faire un bout de chemin ensemble, autant rectifier le tir dès maintenant.

— J'apprécie ton initiative. Tu es plein de sagesse, finalement.

Après quoi, l'adolescent porta le bol fumant à ses lèvres et ferma les yeux, appréciant le contact brûlant contre ses paumes.

— Hum... ça fait du bien...

Halfar garda le silence, la gorge nouée par le remords. Il avait terriblement honte de ce qu'il était en train de faire. Il faillit renoncer et bousculer son compagnon pour que l'écuelle lui échappe des mains. Mais il n'en fit rien.

Sans se méfier une seconde, Kendhal avala une première gorgée et grimaça. Il tenta une deuxième, et finalement, vida son écuelle. Certes, le goût de ce brouet n'était guère fameux, mais il avait le mérite de le réchauffer.

— Ça fait du bien, n'est-ce pas? s'enquit Halfar en quittant sa chemise et son pantalon tellement humides qu'on aurait pu les tordre.

— J'ai deux chemises. Je peux t'en prêter une, si tu veux... proposa Kendhal en reposant son bol vide.

— Tiens, c'est vrai, ça... Tu n'es même pas mouillé, toi!

— En plus de dissimuler ma véritable identité, ma cape a l'avantage d'être entièrement imperméable. La pluie glisse dessus, mais ne pénètre pas le tissu. C'est pratique! fit-il en tendant une chemise sèche à son compagnon. Et... puisqu'on a fait la paix, j'ai autre chose pour toi...

L'elfe doré fouilla dans son sac et en sortit un petit pot qu'il dévissa avec précaution.

— C'est un baume apaisant et cicatrisant... de ma fabrication. J'en suis fier, car il est très efficace. Je pense que ça soulagera tes cuisses... ajouta-t-il avec un regard entendu.

Halfar sentit ses joues s'empourprer, mais sa souffrance était si grande qu'il accepta sans rechigner l'offre de Kendhal. À peine lui avait-il pris l'onguent des mains que l'elfe doré s'écroula, mort de fatigue, sur la paillasse.

L'aubergiste avait prévenu que son somnifère était puissant.

Apparemment, il n'avait pas lésiné sur la dose...

Halfar se sentait terriblement honteux.

En fait, son plan, c'était d'endormir Kendhal assez profondément pour pouvoir lui fausser compagnie dès le lever du jour. Une fois fermée à clé, la petite chambre ferait une geôle idéale... Halfar avait négocié avec le gobelin. Vingt pièces d'or pour surveiller et nourrir son prisonnier, sans jamais le maltraiter; cinquante autres si, à son retour à Dernière Chance, Kendhal était toujours enfermé... et en vie, évidemment.

Le garçon reconnaissait que c'était terriblement lâche et malhonnête de sa part, mais avait-il vraiment le choix? Il n'allait quand même pas laisser Kendhal l'accompagner à Rhasgarrok, accomplir à sa place cet acte d'héroïsme et de bravoure dont il rêvait et usurper une fois de plus les honneurs qui lui revenaient de droit!

Ce serait lui, Halfar, et personne d'autre, qui sauverait Luna!

Essayant de refluer au plus profond de lui ce lancinant sentiment de culpabilité qui lui comprimait la poitrine, Halfar cessa de regarder Kendhal et se badigeonna l'intérieur des cuisses avec son baume miracle. Sa peau était à vif et les cloques avaient éclaté, laissant suinter un liquide blanchâtre qui se mélangea au jaune de l'onguent. Immédiatement, la sensation de brûlure s'atténua, lui procurant un réel bien-être.

Ses remords disparurent, et puisqu'il n'était plus à ça près, il entreprit d'enlever le pantalon de Kendhal pour se l'approprier. Puis il s'enroula dans la cape magique, déjà presque sèche, donna un tour de clé pour ne pas être dérangé par les gobelins et s'installa dans un coin de la chambre. Il s'endormit aussitôt.

Le lendemain matin, Halfar se réveilla de bonne heure.

Kendhal, toujours dans la même position, dormait profondément. Il avait d'ailleurs ronflé toute la nuit!

Avant de partir, Halfar fouilla dans la sacoche de son compagnon. Il y trouva une bourse bien remplie, des galettes et une gourde, un poignard ciselé ainsi qu'une jolie boussole. Songeant que Kendhal avait été plus prévoyant que lui, il fourra le tout sans vergogne dans son propre sac, avala deux galettes qu'il trouva fort bonnes, puis quitta la pièce sans oublier de verrouiller la porte à double tour.

La salle de l'auberge était vide. Seul l'aubergiste était debout et passait le balai, sans grande conviction, sur le sol jonché de détritus.

— Votre *ami* a bien dormi, maître? lança-t-il sur un ton mielleux.

— Qu'est-ce que ça peut te faire! marmonna Halfar avec mépris. La seule chose qui compte à mes yeux, Guizmo, c'est ta promesse. Si tu veilles correctement sur mon *ami*, à mon retour je t'offre cinquante pièces d'or supplémentaires! Pour un type comme toi, c'est une sacrée aubaine, non? D'autre part, je compte laisser mes deux chevaux dans ton écurie. Si tu t'en occupes bien et que tu ne les vends pas entretemps, je double mon offre. Cent pièces d'or valent bien ces petits services, n'est-ce pas?

La grosse tête difforme du gobelin dodelina.

— La dernière fois qu'un drow m'a confié son étalon, je me le suis fait voler... finit-il par maugréer. Moi, quand je suis au bar, je ne peux pas voir ce qui se passe dans mes écur...

— Eh bien, tâche d'être plus prudent, cette fois-ci! coupa Halfar en attrapant le gobelin par le col. Sache qu'à mon retour, mon père sera avec moi! Et je doute qu'il apprécie que ses chevaux, tout comme son prisonnier, se soient volatilisés... Et comme ses pouvoirs sont immenses, je...

— C'est bon... c'est bon... balbutia l'aubergiste, soudain blême. J'ai compris... vous pouvez partir tranquille, maître... je m'occuperai bien d'eux... Promis, juré!

Comme pour donner plus de poids à sa parole, il cracha sur le sol. Essuyant le filet de bave verdâtre qui pendait à sa lèvre inférieure, l'aubergiste offrit son plus beau sourire au jeune drow.

Halfar se retourna, dégoûté, et quitta l'établissement.

Il passa aux écuries récupérer Elbion et en profita pour caresser une dernière fois les deux chevaux. Malgré la cupidité légendaire des gobelins, il craignait de ne jamais revoir Jaspe et Coriandre. C'est pour cette raison qu'il avait ajouté l'histoire de son père qui l'accompagnerait à son retour. Associé à une menace, l'or était toujours plus persuasif...

Quittant les écuries à regret, Halfar se mit en route sans tarder. Il savait qu'une longue journée de marche l'attendait.

Au nord de Dernière Chance s'étendait la vaste plaine désertique d'Ank'Rok. Stérile et hostile, c'était un lieu que la vie sous toutes ses formes avait fui depuis longtemps. Ici, nulle plante ne poussait, nul oiseau ne chantait. Même les serpents et les scorpions semblaient avoir déserté cet endroit maléfique. Mis à part quelques carcasses d'animaux morts et trois ou quatre ruines calcinées, le paysage était d'une monotonie effrayante.

Préférant arriver avant la nuit, Halfar décida de courir le plus longtemps possible. Il adopta donc une foulée rapide et régulière qu'Elbion semblait heureux d'accompagner. Il aurait aimé apercevoir les montagnes Rousses à l'est ou les sommets enneigés de la cordillère de Glace au nord, mais la plaine était noyée dans une brume épaisse qui bouchait l'horizon de toute part.

Après deux bonnes heures et presque une vingtaine de kilomètres parcourus, Halfar, à bout de souffle et assoiffé, se résigna à faire une pause. Il savoura l'eau fraîche de sa gourde et en fit profiter le loup. Il s'autorisa même une troisième galette.

L'adolescent regrettait amèrement d'avoir dû laisser les deux montures entre les mains des gobelins, mais il ne pouvait faire autrement. Les chevaux n'auraient jamais accepté de s'aventurer dans la plaine d'Ank'Rok. Halfar avait entendu Sarkor prévenir son frère avant que celui-ci se rendre à Rhasgarrok pour détruire la stase du Nephilim : les bêtes sentaient l'influence néfaste de la cité drow et fuyaient cet endroit comme la peste. Darkhan aussi avait dû abandonner son étalon à Dernière Chance. D'ailleurs, c'était sûrement de lui que Guizmo avait parlé en évoquant le drow qui avait laissé son cheval à l'auberge...

Une fois requinqué, Halfar se remit à courir. Toujours en direction du nord. Vu le brouillard qui commençait à l'envelopper, il se félicita d'avoir emporté la boussole de Kendhal. Finalement, c'était la providence qui avait mis l'elfe doré sur sa route... Sans lui, il n'aurait eu ni eau, ni nourriture, ni cape magique, ni or pour faire face à ses dépenses à Rhasgarrok... car évidemment, Halfar avait complètement bluffé face à l'aubergiste. Il ne possédait absolument pas les cent pièces d'or promises, enfin, pas encore... Mais il trouverait bien un moyen de les gagner pour tenir sa parole. En espérant que Guizmo tienne la sienne!

Alors que l'après-midi touchait à sa fin, le rythme d'Halfar et d'Elbion était nettement moins soutenu. Ils progressaient désormais lentement, déchirant les nappes de brume qui s'effilochaient et se refermaient insidieusement derrière eux, les enveloppant tel un linceul de dentelle. En fait, ils ne devaient plus être très loin de Rhasgarrok, mais l'épais brouillard filandreux qui hantait la plaine désertique dissimulait encore le Rhas.

Le Rhas. L'impressionnante montagne noire surgie de nulle part qui surmontait la cité souterraine. Halfar se rappela que son père la comparait fréquemment à un monstrueux furoncle qui aurait poussé sur une plaie purulente. La comparaison était certes peu flatteuse, mais pour Sarkor, la cité drow était le pire endroit des terres du Nord. Comme si, au plus profond du sous-sol creusé, blessé, charcuté, se développait une vermine grouillante qui risquait de contaminer les terres saines...

En réalité, Halfar était à la fois excité et terrorisé à l'idée de s'aventurer dans ce domaine honni qui l'avait pourtant tellement fait fantasmer. Quoi qu'en dise Sarkor, c'était tout de même la terre de ses aïeux. Ses arrière-grands-parents y avaient vécu, ses grands-parents s'y trouvaient peut-être encore... En fait, Halfar était certain que son père, brouillé avec sa propre mère, avait quitté la ville sur un coup de tête et que, depuis ce jour, il avait préféré attribuer les torts aux absents plutôt que de se remettre en question. Certes, Halfar ne reniait pas ses parents, ni l'éducation qu'il avait reçue à Laltharils, mais depuis longtemps, Rhasgarrok l'attirait. Toutes les histoires atroces qu'on racontait au sujet de la cité des drows n'étaient selon lui que des contes inventés de toutes pièces pour effrayer les enfants elfes de lune. Dans peu de temps, il aurait enfin la possibilité de découvrir à quoi ressemblait vraiment la ville souterraine. Il renouerait avec ses origines et ne refoulerait plus cette nature drow qui faisait partie de lui et qu'il tentait de refouler depuis tant d'années.

D'un coup, il se demanda si le sauvetage de Luna n'était pas finalement qu'un prétexte pour se rendre à Rhasgarrok. « Non! se morigéna-t-il aussitôt. Je suis en plein délire! C'est vrai que je vais en profiter pour assouvir ma curiosité, mais mon objectif principal, c'est de sauver Luna! C'est pour elle, et uniquement pour elle, que je vais m'enfoncer dans les profondeurs de la cité drow! »

Soudain, un grognement le tira de ses pensées.

À côté de lui, Elbion s'était raidi. Les oreilles couchées, le museau retroussé dégageant des crocs impressionnants, l'animal avait flairé quelque chose qui le rendait terriblement inquiet. Était-ce la proximité du Rhas? Ou bien... un prédateur?

— Du calme, Elbion. Je suis là! essaya-t-il de le rassurer, en saisissant la garde du poignard volé à Kendhal.

Mais le loup grogna de plus belle. Il se recroquevillait en bandant ses muscles, prêt à bondir, lorsque cinq silhouettes fantomatiques émergèrent de la brume.

Cinq elfes noires, portant des armures hérissées de pics, des casques effrayants et des cimeterres tranchants.

Une patrouille de guerrières drows!

Halfar sentit son cœur s'arrêter.

10

Sur le seuil de l'antre de Lloth, Luna retint son souffle, bouche bée.

Sous un ciel bleu vif, les rochers de granit surgissaient comme autant de taches anthracite parmi les buissons d'ajoncs dorés et les bruyères en fleurs. Cette soudaine explosion multicolore laissa Luna pantoise. Son séjour dans l'obscurité l'avait privée de couleurs et elle s'apercevait seulement maintenant à quel point cela lui avait manqué. Ses yeux se gorgèrent de bleu, de jaune, de rose et de vert avec une avidité qu'elle n'aurait jamais crue possible.

Puis, l'adolescente se décida à faire quelques pas sur le sentier qui serpentait dans la lande. La brise tiède fit danser les mèches argentées échappées de sa longue tresse. Il faisait bon, Luna se sentait bien... Elle avait l'impression de revivre.

Toutefois, curieuse de voir à quoi ressemblait le repaire de la déesse Araignée vu de l'extérieur, l'elfe jeta un coup d'œil en arrière et ne put retenir un cri de surprise.

Face à elle s'élevait une tour.

Une tour immense. Gigantesque. Interminable.

Une tour de marbre noir qui se perdait dans l'azur du ciel.

Luna recula, comme écrasée par cette masse colossale. Elle comprit alors pourquoi elle avait eu l'impression de *s'enfoncer* dans les entrailles de la Terre et pourquoi l'escalier lui avait semblé ne jamais finir!

Après avoir admiré l'édifice, Luna se remit en route. Tout en suivant l'étroit sentier, elle observa l'horizon qui s'étirait à perte de vue tout autour d'elle, comme si la tour avait été érigée au sommet d'une colline.

L'adolescente se demanda soudain si *le bord de la sphère* – pour reprendre les mots de Lloth – était encore loin. Pourtant, au bout de quelques minutes seulement, au détour d'un buisson épineux, Luna s'arrêta net.

Il n'y avait plus de sentier, plus de lande non plus.

Seulement une falaise plongeant dans le vide.

Tout en se tenant prudemment à une branche de genêt, Luna voulut se pencher au-dessus du précipice pour tenter d'en apercevoir le fond, mais son front heurta quelque chose de mou. L'elfe tendit la main en avant et rencontra en effet une matière lisse, souple et légère comme du tissu mais ferme et transparente comme le verre. Peut-être cette étonnante paroi servait-elle à délimiter la sphère de la déesse?

Luna eut alors une idée : elle colla son visage contre la paroi translucide et se pencha pour observer.

Ce qu'elle vit la subjugua!

Le précipice n'avait pas de fond! Il n'y avait que du bleu à perte de vue. Intense et profond comme un ciel d'été. La sphère flottait dans le firmament! Mais le plus incroyable, c'était qu'il y en avait partout! Sous les yeux incrédules de l'adolescente, des dizaines d'autres sphères flottaient, telles des îles aériennes.

Alors, suivant les recommandations de Lloth, Luna se mit à penser très fort à Abzagal, se répétant son nom à l'infini. Aussitôt, le rideau transparent s'écarta pour la laisser passer et un chemin immaculé apparut devant elle, comme par enchantement. « Une route se dessinera devant toi. Emprunte-la et tu parviendras jusqu'à sa demeure », avait dit la déesse.

Luna posa un pied hésitant sur le che-min, aussi blanc et fin que du papier, mais apparemment assez résistant pour supporter son poids. Alors, elle se lança.

Quelle étrange sensation que de se promener en plein ciel sur un ruban de papier!

Parfois, des myriades de paillettes argentées scintillaient autour d'elle, se déplaçant comme des essaims de lucioles. À un moment, elles tournoyèrent si près de Luna que l'adolescente essaya de les attraper, mais elles s'enfuirent aussitôt, comme effrayées.

Luna concentra alors son regard sur le chemin qui montait, descendait, serpentait dans l'azur infini, contournant ou surplombant des sphères aussi différentes les unes que les autres. Elles n'étaient pas toutes rondes, d'ailleurs... Certaines, plus larges que hautes, abritaient de véritables forêts à la végétation luxuriante. D'autres, tout en hauteur, laissaient apercevoir des châteaux fantastiques aux tourelles ornées de pavillons multicolores. Luna admira longtemps une étrange sphère remplie d'eau, où évoluaient des bancs de poissons aux écailles dorées.

Luna, qui avait l'impression de vivre un rêve éveillé, se demanda quels dieux et déesses vivaient dans des mondes aussi merveilleux. À quoi pouvait bien ressembler la Sphère d'Eilistraée, l'unique déesse bienfaisante du panthéon drow? Et le fameux Grand Putride que le Marécageux invoquait régulièrement avait-il également son propre domaine? Sans doute. Luna s'imagina un marais puant bourdonnant d'insectes aquatiques et sourit avec indulgence.

Après maints détours, son chemin se mit à filer droit vers une sphère immense, dont la forme irrégulière semblait vouloir épouser celle de la montagne couverte de neige qu'elle abritait. Était-ce là que vivait Abzagal?

Luna en frissonna d'avance. Il devait faire un froid terrible, là-bas!

Lorsque la bande blanche cessa enfin de se dérouler, Luna vit le voile protecteur de la sphère s'écarter pour lui offrir un passage. Retenant son souffle, elle pénétra dans le royaume glacé d'Abzagal.

Dans l'air, de gros flocons blancs surgis de nulle part voletaient en tous sens, tourbillonnant dans une danse d'eux seuls connue. Les ballerines de Luna crissaient sur le tapis poudreux du sentier, bien visible grâce aux énormes congères qui s'élevaient de chaque côté, telles des murailles protectrices. Malgré sa robe légère, l'elfe ne souffrait pourtant pas du froid. Au contraire, la douceur des cristaux cotonneux qui se posaient sur son visage et ses épaules lui réchauffait le cœur. Les bras écartés, paumes tournées vers le ciel, Luna ferma les yeux et se mit à tournoyer sous la neige. L'espace d'un instant, elle en oublia presque le but de sa visite et sa mission, s'étourdissant dans une valse aveugle et silencieuse. Lorsqu'elle rouvrit les yeux, le paysage dansait encore devant elle, mais un sentiment de plénitude intense l'avait envahie.

Après quelques mètres dans la neige, le chemin se mit à grimper légèrement. Luna leva les yeux pour observer la montagne et s'aperçut avec stupéfaction qu'il s'agissait en réalité d'un palais... D'un immense palais de glace!

Jamais Luna n'aurait imaginé que ce genre de construction puisse exister autre part que dans les légendes elfiques que lui racontait autrefois son vieux mentor.

L'adolescente reprit sa marche et, sous la nuée de flocons, finit par atteindre un portail translucide. De taille modeste, il ne semblait pas conçu pour accueillir de trop grandes créatures. Cela soulagea Luna.

Espérant qu'il ne serait pas verrouillé, l'elfe poussa l'un des vantaux. Elle l'avait à peine effleuré qu'il glissa dans un chuintement feutré. Sans attendre, Luna se faufila dans la demeure du dieu.

Le vestibule était gigantesque. Surmonté d'une vaste coupole translucide, il semblait avoir été taillé au cœur de la glace. Ses murs transparents et bleutés laissaient apercevoir une succession de pièces toutes aussi immenses les unes que les autres. De chaque côté de l'entrée se trouvaient deux énormes portes sculptées d'arabesques, alors qu'en face s'envolait un splendide escalier aux marches aussi larges que des tables!

Une boule d'angoisse se coinça dans la gorge de Luna. Le propriétaire des lieux était-il un géant ou aimait-il simplement l'espace?

« Ventredur, chez qui Lloth m'a-t-elle envoyée? » pesta l'adolescente.

Maudissant la déesse et son odieux chantage, Luna fit quelques pas et hésita entre les portes latérales ou l'étage supérieur. Où Abzagal pouvait-il bien conserver ses trésors? Luna se fit alors la réflexion que si elle était une déesse, elle abriterait ses richesses le plus loin possible de l'entrée et surtout, suffisamment haut pour qu'elles soient très difficiles à atteindre.

Elle opta donc pour le monumental escalier de glace. Retenant son souffle pour ne faire aucun bruit, elle gravit les marches dans un profond silence. Toutes les cinquante marches, un palier offrait couloirs et portes comme autant de chemins possibles, mais Luna, fidèle à son idée, préféra les ignorer pour atteindre les plus hautes tours du palais.

Pourtant, l'escalier monumental s'arrêta bientôt, débouchant sur une vaste terrasse. Luna jeta un œil par-dessus la balustrade et fut saisie d'un vertige. À plus de cent mètres en bas, le vestibule paraissait minuscule! L'elfe recula prestement et, promenant son regard autour d'elle, découvrit une passerelle qui serpentait entre les colonnes de glace. Après quelques hésitations, se fiant à son instinct, elle finit par s'y aventurer.

Cette passerelle surplombait de longs corridors déserts qui s'ouvraient sur de grandes pièces vides. Luna se demanda si le palais était vraiment habité. Ici, nul piège, nulle gardienne, nul essaim d'araignées pour lui barrer la route... Pourtant, Luna ne se sentait pas rassurée pour autant. Tout était trop calme, trop silencieux. Lloth avait sous-entendu qu'Abzagal serait endormi, mais comment en être sûre? Et si le dieu avait senti sa présence et se terrait derrière une colonne de glace pour mieux la surprendre? Et s'il lui envoyait quelques créatures démoniaques pour la neutraliser? Après tout, les dieux étant omniscients, Abzagal devait bien savoir qu'une intruse avait pénétré son domaine. Luna décida de se tenir prête à utiliser son pouvoir.

La passerelle la conduisit jusqu'à un superbe kiosque sculpté au cœur de la glace. Une véritable merveille. Luna ne put s'empêcher de contempler les entrelacs de dentelles aussi fins et translucides que le cristal le plus pur. Soudain, une voix dans son dos la fit sursauter.

— Bonjour, ma mignonne! Que fais-tu donc ici?

Le cœur de Luna rata un battement et elle manqua de défaillir. Vite, il fallait absolument inventer quelque chose! Elle pivota alors pour répondre à son interlocuteur, mais ses mots s'évanouirent à l'instant même où elle le vit.

Un immense dragon la dominait de toute sa hauteur. Il était assis, les ailes repliées, et la toisait avec étonnement. Ses écailles blanches étincelaient comme autant de diamants et une fine pellicule de givre recouvrait son mufle gris. Sous la crête argentée qui ornait son front, ses yeux azur brillaient d'intelligence.

— Oh! Une petite elfe de lune! C'est la première fois que j'en vois une... Mais que peux-tu bien faire ici? s'enquit de nouveau la créature avec aménité.

Luna prit alors conscience qu'il n'avait pas vraiment parlé, mais plutôt communiqué avec son esprit. Elle déglutit avec difficulté, se demandant quel mensonge lui servir. Elle sauta sur la première idée venue.

— Heu... Je... je suis perdue!

— *Perdue?* répéta le dragon d'une voix sévère tout en arquant ses sourcils broussailleux. Tu veux dire que tu es arrivée *par hasard* au cœur du Royaume de Glace?

— Non, bien sûr que non, se rattrapa l'adolescente. En fait, je... je cherche Abzagal.

— Tu veux sûrement parler d'Abzagal *le Puissant, le Très Grand, le Majestueux, le Magnifique*... reprit le dragon, toujours par télépathie, en insistant sur les adjectifs.

— Oui... c'est ça... concéda Luna, toute penaude.

— Dis-moi d'abord comment tu t'appelles et d'où tu viens. Ensuite seulement je te conduirai jusqu'à lui.

Luna hésita et préféra opter pour la vérité, cette fois.

— Je m'appelle Sylnodel, mais tout le monde m'appelle Luna. Je viens de Laltharils.

— Hum! *Perle de Lune*, c'est un très joli nom...

— Oh, vous connaissez l'elfique? s'étonna l'adolescente.

— Évidemment! Le savoir ancestral des dragons est immense, tout comme leur sagesse, d'ailleurs! Sans me vanter, je peux dire que je maîtrise une centaine de langues et autant de dialectes... Bon, maintenant, dis-moi pourquoi tu souhaites rencontrer Abzagal le Magnifique.

Luna sentit la sueur perler dans son dos. Le dragon ne semblait pas méchant, mais elle devinait que ses colères devaient être redoutables. Aussi, chercha-t-elle à gagner du temps.

— Si ça ne vous dérange pas, je préfère que cela reste un secret. En fait, j'ai un message de la plus haute importance pour votre maître...

— Tiens donc... fit la créature avec une moue sceptique. Et puis-je connaître l'identité de l'auteur de ce message? Serait-ce Hérildur, ton grand-père?

Luna se figea.

— Heu... non. C'est... c'est la déesse Lloth qui m'envoie.

Luna se mordit aussitôt la lèvre inférieure.

La réaction du dragon ne se fit pas attendre. Des nuages de cristaux de glace fusèrent de ses naseaux dilatés par la colère.

— Et que veut cette malfaisante créature, cette maudite sorcière, cette démoniaque traîtresse, cette âme damnée? grinça-t-il.

— Je vous en prie, le supplia Luna d'une toute petite voix. Laissez-moi parler à Abzagal...

— Mais je suis Abzagal le magnifique! gronda alors le dragon tout en se redressant et en déployant ses larges ailes immaculées.

Luna, soudain livide, plaqua une main sur sa bouche pour étouffer un cri de surprise.

Un dieu Dragon! Comment aurait-elle pu deviner?

Ainsi dressé sur ses pattes postérieures, la gueule ouverte sur deux rangées de crocs de glace, Abzagal paraissait tellement terrifiant que la minuscule adolescente n'osa pas utiliser son pouvoir sur lui. Elle était certaine qu'il le sentirait et qu'un seul coup d'aile suffirait à la faire basculer dans le vide.

Pourtant, les mots de Lloth lui revinrent en mémoire : « Si jamais il se réveille, utilise ton pouvoir avant qu'il ne te parle... ne l'écoute surtout pas. C'est un affabulateur, un calculateur et un égoïste... »

Trop tard.

Une vague de panique submergea Luna. Son cerveau tournait à toute vitesse, mais elle ne parvenait pas à trouver la moindre échappatoire. La colère du dieu n'était pas feinte et les choses risquaient de très mal tourner. Toutes ses chances de lui dérober le joyau étaient anéanties, désormais.

— Réponds-moi, petite mortelle! hurla de nouveau Abzagal au plus profond de sa tête. Pourquoi Lloth t'a-t-elle envoyée chez *moi*, dans *ma* sphère, dans *mon* royaume?

— Elle... elle veut que... que vous lui rendiez ce que vous lui avez volé! finit par avouer Luna.

— Ce que *je* lui ai *volé*? rugit le Dragon. Comment oses-tu, misérable vermisseau? Sache qu'un dragon ne vole *jamais* rien. Quel horrible mot, si vulgaire, si péjoratif! Un dragon amasse, il collectionne, il récupère, il reprend, il détourne, il subtilise, il dérobe, mais il ne *vole* jamais! La seule chose qui *vole* chez un dragon, ce sont ses ailes, tu comprends?

L'adolescente, terrorisée par la tournure que prenaient les évènements, hocha la tête en rougissant. Elle ne voyait plus qu'un seul moyen d'apaiser un peu la fureur du dieu : lui révéler toute la vérité!

11

Les cinq redoutables guerrières drows se plantèrent devant Halfar et Elbion; ce dernier, tous crocs dehors, n'attendait qu'un geste de son compagnon pour leur sauter à la gorge.

— Retiens ton animal ou bien je me ferai un plaisir de le tailler en pièces! ordonna l'une des femmes pendant que ses collègues à l'air revêche les encerclaient.

— Pas bouger, Elbion! murmura Halfar, tremblant comme une feuille.

La plus grande des guerrières – sans doute leur chef – s'approcha alors d'Halfar et l'observa avec attention.

— Que peut bien faire un garçon de ton âge à deux kilomètres de Rhasgarrok?

Le cerveau d'Halfar se mit à fonctionner à toute vitesse. Une excuse, vite!

— Heu... je...

— Tu t'es perdu, mon joli? se moqua une deuxième femme en pouffant.

— Non, je...

— On ferait mieux de le zigouiller tout de suite! ricana la plus grosse, dont les yeux noirs brillaient de méchanceté.

— Taisez-vous, bande de chauve-souris, et laissez-le parler! se fâcha la chef en plissant les yeux. Alors, mon mignon, que fais-tu là?

— Je... je promenais mon loup. Vous comprenez, il supporte mal notre monde souterrain...

— Hum, ton loup... fit la chef en hochant la tête. Mais tu sais pourtant qu'il y a un couvre-feu et que nul n'a le droit de circuler près du Rhas dès que la nuit tombe... Tu oses braver les interdits?

— Je... c'est à cause du brouillard, j'avais du mal à retrouver l'entrée...

— Ouais, c'est ça... Dis-nous plutôt comment tu t'appelles et à quelle maison tu appartiens! grogna la grosse drow en grimaçant.

Le sang d'Halfar se glaça. Son père ne lui avait jamais révélé à quelle famille il appartenait. Il savait qu'il était de noble ascendance, mais ignorait le nom de sa maison.

Avant qu'il n'ait le temps de répondre, l'une des guerrières se pencha soudain vers sa chef et lui glissa quelques mots à l'oreille. L'autre écarquilla les yeux en blêmissant et dévisagea une nouvelle fois Halfar, avec un mélange de crainte et de respect.

— Oh... mais vous ne seriez pas... Par la déesse! C'est vous, Prince? murmura-t-elle d'une voix blanche.

Livide, elle esquissa une courbette et baissa les yeux.

Halfar, perplexe, n'osa proférer une seule parole.

— Hum... Veuillez nous excuser, Prince, reprit la chef des guerrières, nous ne vous avions pas reconnu. Il faut dire que vous ne sortez jamais du monastère, alors... On...

— Mais vous aviez parfaitement le droit de vous promener ici! s'empressa d'ajouter une autre guerrière. Toutefois, ce n'est pas très prudent, vous auriez dû prendre une escorte... l'endroit n'est pas sûr au crépuscule. Nous allons vous raccompagner jusqu'à l'entrée principale. J'imagine que votre mère n'apprécierait pas qu'il vous arrive quoi que ce soit...

Elbion, sentant son compagnon se détendre, cessa enfin de grogner. Halfar emboîta le pas à ses gardes du corps sans broncher. Il était clair qu'elles le prenaient pour quelqu'un d'autre, pour un personnage important et respecté. Après tout, tant mieux! Il n'allait pas prendre le risque de démentir ces farouches guerrières!

Après un bon quart d'heure de marche silencieuse, la petite troupe arriva en vue du Rhas. Même si le brouillard, toujours aussi épais, l'empêchait d'en deviner le sommet, Halfar se rendit compte des dimensions gigantesques de la montagne noire. Néanmoins, il prit bien garde de ne pas dévoiler sa fascination; elle apparaîtrait suspecte et éveillerait sans aucun doute les soupçons de son escorte.

Les femmes attaquèrent l'ascension du contrefort rocheux en empruntant un large sentier. Elles s'arrêtèrent bientôt à l'entrée d'une vaste caverne naturelle, où une sentinelle en faction devant une porte gigantesque les salua d'un air respectueux.

Halfar caressa Elbion pour apaiser sa nervosité.

— Un rôdeur? demanda l'un des gardes avec un sourire mauvais. On va lui régler son compte!

— La ferme, imbécile! aboya la chef des guerrières. Il s'agit du prince Fritzz Vo'Arden!

— Hein? Le... le fils de Matrone Zesstra? balbutia l'autre, livide.

— En personne! cracha la grosse. Alors, laisse-nous passer! ajouta-t-elle d'une voix qui n'admettait aucune protestation.

Halfar, interdit, sentit son pouls s'accélérer.

Ainsi, les drows le prenaient pour le fils de leur maîtresse suprême... Ça alors!

Obéissant aux ordres des femmes, la sentinelle s'activa et déverrouilla l'accès à la cité souterraine. Quatre gardes furent alors nécessaires pour actionner l'immense portail. Les vantaux, de près de six mètres sur trois, firent grincer leurs gonds mal huilés et raclèrent le sol dans un désagréable bruit de roche broyée.

— Désirez-vous qu'on vous raccompagne jusqu'au monastère, Prince? demanda l'une des guerrières avec déférence.

— Heu... non. C'est inutile, merci, je connais le chemin! bluffa Halfar. Par contre, si vous pouviez éviter de parler à ma mère de mon... escapade, ce serait gentil!

Les guerrières ouvrirent des yeux étonnés. Les mots *merci* et *gentil* semblaient tellement incongrus dans la bouche d'un drow! Le prince avait apparemment reçu une bien curieuse éducation...

Mais Halfar ne se rendit compte de rien. Il s'était déjà retourné et s'engouffrait dans l'énorme gueule béante et obscure de Rhasgarrok.

Ouf! Il avait eu chaud!

Bien qu'il trouvât très étrange qu'on le confonde avec ce fameux prince, Halfar n'allait pas s'en plaindre. Finalement, ses recherches en ville seraient plus faciles que prévu... Il lui suffirait de se présenter comme le fils de Matrone Zesstra et toutes les portes s'ouvriraient devant lui, comme par miracle!

L'adolescent s'engagea dans la large galerie creusée au cœur de la roche. Il y voyait comme en plein jour, mais il sentait que la nervosité d'Elbion augmentait à mesure de leur descente. Il tâcha de l'apaiser :

— Tout doux, mon grand, murmura-t-il en ébouriffant son pelage dru. N'oublie pas que c'est pour retrouver Luna que nous sommes ici. Elle a besoin de nous. Alors concentre-toi...

À un carrefour, Elbion renifla chaque tunnel et opta finalement pour celui du milieu. Flair ou instinct? Halfar n'aurait su le dire, mais il s'y engagea en toute confiance. Il poursuivit sa descente, se demandant à quoi pouvait bien ressembler une ville cachée à plusieurs centaines de mètres sous terre.

Bientôt, le monotone couloir s'égaya de dizaines d'ouvertures creusées à droite et à gauche, d'escaliers qui disparaissaient dans les profondeurs obscures, d'échoppes aux parois suintantes d'humidité. Toutes étaient barricadées par un épais rideau de fer. « Les faubourgs ne sont pas très accueillants à cette heure-ci... songea le garçon avec dépit. Mais dans la journée, cet endroit doit grouiller de vie... »

Soudain, Elbion, flairant sans doute une piste, bifurqua sans prévenir vers un tunnel sur la gauche. Halfar se précipita à sa suite sans hésiter. Il devait s'agir d'un raccourci... La galerie étroite, qui serpentait dans les ténèbres, débouchait de temps à autre sur de minables placettes où quelques masures tombaient en ruine. Halfar, légèrement désappointé, constata que Rhasgarrok ressemblait plus à une cité fantôme qu'à la ville trépidante et animée qu'il s'était imaginée. Certes, la nuit était tombée, mais tout de même!

— Un pas de plus et t'es mort! cracha soudain une voix derrière lui.

Halfar se figea. Elbion aussi.

— Parfait! reprit une deuxième voix. Maintenant, retourne-toi lentement et dis à ton loup de se tenir tranquille.

Le garçon s'empressa d'obéir tout en gardant une main posée sur la tête d'Elbion pour l'apaiser. Inutile de s'inquiéter ou de se lancer dans un combat à l'issue incertaine. Dès qu'ils verraient son visage, ses agresseurs se confondraient en excuses et le laisseraient partir. Halfar, sûr de passer pour le prince Fritzz, prit un air supérieur et les dévisagea avec dédain. Mais en découvrant les deux drows qui le

149

menaçaient, sa belle assurance fondit comme neige au soleil.

Les deux guerriers tout en muscles, avec leurs mines patibulaires et leurs regards torves, ne lui inspiraient rien de bon. Ils portaient d'épaisses cuirasses sombres et des sabres dont la lame bleutée étincelait dans l'obscurité. De plus, celui de droite tenait en laisse une terrifiante panthère noire. L'animal, excité par la présence du loup, se mit à feuler sauvagement. Elle devait être sacrément puissante, car son propriétaire semblait avoir quelque difficulté à la maîtriser.

Elbion, sentant le danger imminent, se raidit et dévoila son impressionnante rangée de crocs acérés.

— Retiens ton loup, je t'ai dit! grogna l'un des guerriers. Et balance tes armes à terre...

Halfar sentit son pouls s'accélérer. Ces hommes ne l'avaient donc pas reconnu?

Soudain, l'un des types se pencha vers l'autre pour lui souffler un mot.

Un vif soulagement s'empara d'Halfar. Enfin, ils allaient lui faire leurs excuses et le laisser repartir...

— J'le vois bien que ce n'est qu'un gosse! aboya le premier guerrier. Et alors? Ça lui apprendra à sortir de chez lui à cette heure-là... Alors, petit, t'as pas entendu? Pose tes armes!

Blême de peur, Halfar se hâta de déposer son arc, son carquois ainsi que le poignard dérobé à Kendhal. Il garda toutefois la dague cachée dans sa manche. Puis, tentant le tout pour le tout, il se décida à mentir :

— Mais... vous ne... je suis le prince Fritzz!

— Le prince quoi? rétorqua celui qui tenait la panthère en fronçant le nez. Tu connais, toi?

— Nan! Mais si t'es vraiment un prince... on peut dire que c'est notre jour de chance!

Avant qu'Halfar ait pu ajouter quoi que ce soit, le plus costaud des guerriers bondit sur lui et, en moins de deux secondes, le pauvre garçon se retrouva menotté, ligoté et bâillonné.

Elbion n'eut même pas le temps de réagir.

Et lorsqu'il voulut protéger son ami, l'énorme panthère jaillit dans sa direction.

Les deux guerriers, leur prise sur le dos, s'éloignèrent, laissant leur animal de compagnie s'amuser un peu.

Au même moment, dans le bourg mal famé de Dernière Chance, le patron de *La Tête qui roule* faisait les cent pas dans son auberge vide. Il avait proprement mis à la porte ces sacs à vin qui lui servaient de clientèle. Maintenant qu'il était riche, il pouvait se le permettre! De toute façon, comme c'était la seule auberge du coin,

151

ces canailles lui pardonneraient vite son geste d'énervement...

Mais, ce soir, Guizmo n'était franchement pas d'humeur à servir des ivrognes; il avait d'autres soucis en tête... Après le départ de son étrange visiteur drow, il avait passé sa journée à cogiter, ce qui pour un gobelin n'était pas un mince exploit!

La somme promise en échange du service demandé était alléchante. Cent pièces d'or pour surveiller deux chevaux et un type enfermé dans la chambrette du premier... C'était du gâteau!

Toute la matinée, Guizmo avait imaginé les dizaines de choses qui allaient changer dans sa vie, qui avait été plutôt minable jusque-là. Jamais en effet il n'avait possédé une telle fortune et il comptait bien s'en servir pour devenir le gobelin le plus puissant de Dernière Chance...

Pourtant, ce midi, lorsqu'il était monté apporter un quignon de pain dur et un pichet d'eau à son prisonnier – selon les indications du drow, il devait glisser la nourriture par la chatière et en aucun cas ouvrir la porte –, en entendant les ronflements sonores de ce dernier, il n'avait pu résister à l'envie de jeter un coup d'œil à l'intérieur. La curiosité l'avait emporté sur la prudence : il était immédiatement redescendu chercher le double de la clé que le drow avait emportée. Quelle ne fut pas sa surprise en découvrant, avachi sur la paillasse, un jeune elfe de soleil!

Abasourdi, Guizmo avait soigneusement refermé la porte derrière lui et passé le maigre repas par la chatière.

Un elfe de soleil!

À Rhasgarrok, ce genre de marchandise valait au moins six ou sept cents pièces d'or!

Voilà pourquoi l'aubergiste avait un sérieux dilemme...

Devait-il tenir sa parole et veiller sur le prisonnier en attendant le retour du drow et de son père... pour cent pièces d'or? Ou devait-il profiter de l'aubaine inespérée et se rendre dans la cité souterraine afin de vendre l'elfe doré au plus offrant?

Certes, les deux drows seraient certainement très en colère, mais... sept cents pièces d'or, ou peut-être plus, ça ne se refusait pas. Avec cette somme, Guizmo pourrait s'offrir une armée de mercenaires qui recevraient les deux elfes noirs avec un carreau d'arbalète entre les deux yeux... D'ailleurs, ils ne méritaient pas mieux, ces prétentieux avec leurs airs supérieurs. Ils apprendraient à leurs dépens que les gobelins pouvaient se montrer encore plus fourbes et malins que les adeptes de la déesse Araignée!

Guizmo se frotta les mains en souriant. Un filet de bave glissa sur son menton boutonneux. Il allait partir dès maintenant et voyager de nuit.

Demain matin, son précieux colis ferait de lui le gobelin le plus respecté des terres du Nord!

12

Face à Luna, Abzagal fulminait. Un nuage de givre menaçant s'échappait de sa gueule entrouverte. L'adolescente se redressa pour se donner le courage d'affronter le Dragon.

— Écoutez... ce n'est pas la peine d'être en colère contre moi, fichtrenon! s'écria-t-elle en le fixant droit dans les yeux. Lloth retient ma sœur prisonnière dans un de ses horribles cocons, et elle ne nous rendra notre liberté qu'à la seule condition que je lui rapporte l'artefact que vous lui avez vo... pris. Elle veut récupérer son Joyau de Glace! Alors, vous allez gentiment me le remettre, je le lui rapporterai, elle nous libérera et on n'en parlera plus, cornedrue.

Luna serra les dents, s'attendant à recevoir une pluie d'injures, un déluge de rage, un ouragan dévastateur sur ses frêles épaules. Elle s'attendait à tout...

... sauf à la cascade de rire qui jaillit dans sa tête!

Devant les yeux ahuris de l'elfe, Abzagal s'esclaffait comme s'il s'agissait de la meilleure plaisanterie qu'il eût jamais entendue. L'énorme masse de son corps écailleux en était secouée de spasmes convulsifs.

Luna l'observa en silence, se demandant si c'était un bon signe ou un... très mauvais.

Lorsque Abzagal reprit la parole, essuyant une larme d'un revers de griffe, sa voix avait perdu toute agressivité.

— Ah... voilà bien longtemps que je n'avais ri ainsi! *Récupérer son Joyau de Glace!* répéta le Dragon en gloussant. Voyez-vous ça, comme c'est amusant, drôle, hilarant et que sais-je encore... les mots m'en manquent! Mais je reconnais bien là le côté affabulateur, calculateur et égoïste de notre chère amie arachnide...

Luna ne put retenir un sourire. Lloth avait employé exactement les mêmes termes pour décrire Abzagal! Mais elle se garda bien de le lui dire et attendit la suite en silence.

— En réalité, petite Sylnodel, le Joyau de Glace, comme son nom l'indique, est *ma* propriété depuis la nuit des temps. C'est la Pierre de Vie qui me confère mon essence divine. Si je la perds, toute l'influence que j'ai sur les mortels qui me vénèrent se réduira aussitôt à néant. Je ne pourrai plus interférer dans leur vie ni exaucer leurs prières.

Le Dragon marqua un temps de réflexion avant de reprendre.

— Mais je sais pourquoi Lloth cherche à s'en emparer... Vois-tu, elle possède un artefact très ancien, vieux comme votre monde, devrais-je dire. Une couronne aux pouvoirs extraordinaires qui aurait appartenu au tout premier dieu des hommes primitifs qui peuplèrent la Terre. On raconte que si Lloth parvient à s'emparer de dix Pierres de Vie afin de les sertir dans son maléfique diadème, sa puissance n'aura nulle limite et elle deviendra la reine des dieux. Or, je sais que dans l'ombre, Lloth trafique, manigance, complote sans cesse pour récupérer les précieux joyaux. J'ignore combien elle en possède déjà, mais je gage qu'il ne lui en manque plus beaucoup... Peut-être juste le mien, qui sait?

— Et que se passerait-il si Lloth devenait la... la reine des dieux? osa demander Luna.

— Oh, ce serait terrible, que dis-je... tragique, dramatique, épouvantable, catastrophique pour nous autres dieux et déesses, mais aussi pour *vous*, pauvres mortels!

— Pourquoi?

— Parce que nous n'aurions plus la force de contrer sa maléfique influence. Elle savourerait notre déchéance, nous reléguant au rang de divinités inférieures, adorées par une ridicule poignée d'adeptes. À leur mort, nous sombrerions peu à peu dans l'oubli et finirions par disparaître définitivement de ce monde. Il n'y a qu'à voir la lente agonie d'Eilistraée pour se rendre compte à quel point Lloth est sans pitié. Elle s'est emparée du Joyau de sa propre *fille* il y a quelques siècles déjà et se délecte de la voir dépérir de jour en jour. Ce n'est pas du sang qui coule dans les veines de la déesse Araignée, mais un puissant venin... Brrr, je la hais! cracha Abzagal avec mépris.

— Moi aussi! concéda Luna en hochant vivement la tête. Je comprends tout à fait que vous vouliez garder votre Joyau, mais... dans ce cas, comment vais-je pouvoir libérer ma sœur et retourner dans mon monde? Vous avez une idée?

Le Dragon replia ses ailes et s'assit sur ses pattes postérieures dans une attitude méditative. Luna ne put s'empêcher d'admirer ses écailles qui reflétaient le miroitement de la lumière sur les cristaux de glace. Malgré son caractère lunatique et manifestement irascible, c'était une créature majestueuse.

— Je sais! déclara soudain Abzagal en ouvrant sa gueule dans un large sourire. Comme tu t'es montrée honnête avec moi et que... tu as réussi l'exploit incomparable de me faire rire, j'accepte de t'aider : je vais libérer ta sœur et vous laisser rentrer chez vous!

— C'est vrai? s'écria Luna, les yeux pétillants de bonheur.

— Bien sûr que c'est vrai! En échange, je te demande juste un petit service...

L'adolescente se rembrunit d'un coup.

— Nom d'un marron, j'aurai dû m'en douter! maugréa-t-elle. Vous, les dieux, vous êtes bien tous les mêmes! Vous ne savez pas rendre service simplement pour faire plaisir, il faut toujours que vous imposiez d'odieux chantages!

Abzagal sursauta, vexé.

— Et vous autres, stupides mortels sans cervelle, il faut toujours que vous dramatisiez tout! Qui te parle de *chantage*? C'est un terme vulgaire que, personnellement, je n'emploie jamais... Je préfère nettement utiliser d'autres substantifs plus appropriés comme... négociation, contrat, marché, pacte, mission ou encore quête! *Une quête!* Voilà un noble terme! Petite Sylnodel, veux-tu accomplir *une quête* pour Abzagal Le Magnifique?

— Apparemment, vous ne me laissez pas trop le choix... marmonna-t-elle en croisant les bras sur sa poitrine.

— Tu as raison, ma jolie! s'esclaffa le Dragon.

— Alors, de quoi s'agit-il?

— Tu vas retourner dans la sphère de Lloth et lui subtiliser sa couronne magique!

Luna, éberluée, écarquilla les yeux.

— Hein? Vous critiquez la déesse Araignée, mais en fin de compte, vous ne valez pas mieux! Vous voulez être le roi des dieux, n'est-ce pas?

— Tu te trompes! corrigea aussitôt Abzagal en prenant un air outré. Que m'importent le prestige et le pouvoir? Les dragons sont bien au-dessus de ça! Je suis l'incarnation même de la sagesse et si je veux la couronne, c'est uniquement pour rendre les Pierres de Vie à leurs propriétaires. Après quoi, je *détruirai* cet artefact une bonne fois pour toutes! Ainsi, plus aucun dieu ne cherchera à se hisser au-dessus des autres. Nous vivrons dans l'égalité la plus parfaite, dans la paix et l'harmonie, le bonheur absolu, le nirvana suprême...

— Hum... se renfrogna Luna, pleine de scepticisme. De toute façon, je n'ai aucune chance, bigrebouc! Dès que je mettrai un pied dans sa sphère, Lloth me tombera dessus. Et en voyant que je n'ai pas le Joyau de Glace, elle risque de me faire finir dans un cocon comme ma sœur!

— Sauf si, justement, elle ne *peut pas te retenir*, murmura le Dragon, toujours par télépathie.

— Comment ça? fit Luna en fronçant le nez.

— Comme je suis bon, généreux, honnête, magnanime et plein de miséricorde...

« Et tellement modeste! » faillit ajouter l'adolescente.

Je vais t'accorder un pouvoir... Je vais t'offrir le don d'être... *immatérielle!* Tel un fantôme, tu pourras franchir n'importe quel obstacle en passant au travers. Porte, mur, muraille, verre, pierre, terre... rien ne pourront plus t'arrêter. Aucun lien ni aucun barreau ne pourra t'entraver. Et aucun projectile, qu'il soit magique ou non, ne pourra t'atteindre. Selon ton bon vouloir, une seule pensée te suffira à devenir immatérielle ou à retrouver ta consistance normale. De cette façon, il te sera facile d'atteindre le trésor de Lloth, de dérober sa couronne et de revenir me l'apporter... Qu'en dis-tu?

Pour toute réponse, Luna se contenta de hausser les épaules.

— Mais une fois que j'aurai la couronne, elle ne passera pas à travers les murs, elle...

— Bien sûr que si! se réjouit le Dragon. Tout ce que tu toucheras bénéficiera de ton don. Ta robe, tes souliers et... la couronne, dès que tu l'auras!

— À ce compte-là, je pourrais peut-être en profiter pour libérer moi-même ma sœur, non?

— Surtout pas, malheureuse! Cela te retarderait... Laisse-moi m'en charger! À moins, bien sûr, que tu ne me fasses pas confiance... soupçonna Abzagal en plissant les yeux.

— Si, bien sûr... Mais j'aimerais bien savoir comment vous vous y prendrez...

— Eh bien... Il est évident que la première Pierre de Vie que Lloth a sertie dans son diadème est... la sienne! Alors, je lui proposerai un échange tout ce qu'il y a de plus honnête : son Joyau de l'Ombre contre la vie de ta sœur. Simple, non?

— Bon, je vois que vous avez réponse à tout... Alors, j'accepte! Donnez-moi votre pouvoir qu'on en finisse, cornedrouille!

Le Dragon fit un pas vers Luna et approcha son museau, énorme et menaçant, près du visage de l'adolescente. Celle-ci, aussi immobile qu'une statue, ferma les yeux au moment précis où le mufle glacé frôlait sa joue pâle. Aussitôt, une vague de fraîcheur déferla sur son esprit, balayant ses doutes et ses réticences.

Lorsqu'elle rouvrit les yeux, moins de deux secondes après, Luna se sentait *différente*. Comme si une force nouvelle palpitait au plus profond de son être.

— J'espère que tu es consciente du fantastique privilège que je t'ai accordé. Être touché par un dieu est toujours une bénédiction inestimable. Certains mortels tueraient père et mère pour posséder un tel pouvoir... murmura Abzagal en la regardant fixement. Allez, mon enfant, il est temps de partir, je te raccompagne! s'écria-t-il ensuite en dépliant ses superbes ailes.

En deux formidables battements, le Dragon avait déjà atteint la coupole de glace translucide qui surmontait son palais. Les yeux en l'air, Luna le regarda évoluer avec une grâce incomparable au milieu des colonnes. Après quoi, elle rebroussa chemin et emprunta de nouveau la passerelle pour atteindre l'escalier.

Tout en redescendant une à une les monumentales marches, Luna médita les dernières paroles du Dragon : « Être touché par un dieu est toujours une bénédiction inestimable... » Elle se rappela que Lloth aussi l'avait touchée. Depuis, elle n'éprouvait plus ni soif, ni faim, ni fatigue, ni douleur. Était-ce là aussi une sorte de pouvoir que la déesse lui avait transmis? Luna se demanda alors si, une fois de retour dans son monde, elle conserverait toujours ces étranges dons... Pourtant, une question encore plus pressante la taraudait depuis un moment déjà. En fait, depuis qu'elle avait découvert qu'Abzagal était un dragon...

Une fois arrivée devant la porte d'entrée, l'elfe se planta sous le nez de la majestueuse créature, qui l'attendait depuis quelques minutes déjà, pour l'interroger :

— Au fait, Abzagal... De quel peuple êtes-vous le dieu?

— Sache que je suis l'unique dieu des avariels! s'enorgueillit-il en relevant la tête. Les elfes les plus purs et les plus nobles qui soient. Les seuls elfes à posséder des ailes.

Luna resta bouche bée.

Des elfes ailés! Elle n'en avait jamais entendu parler. Absolument jamais!

— Où vivent-il? voulut-elle savoir.

— Rapporte-moi la couronne et nous en reparlerons, promit le Dragon. Maintenant, file, Sylnodel, une noble *quête* t'attend!

Devant le ton grandiloquent du dieu, Luna faillit pouffer de rire, mais voyant qu'Abzagal était on ne peut plus sérieux, elle s'abstint de tout commentaire et s'avança jusqu'au portail. Curieuse de voir si le pouvoir du dieu fonctionnait, elle tendit la main vers le vantail et, à sa plus grande stupéfaction, ses doigts s'enfoncèrent dans la glace, défiant toutes les lois de la nature. En moins de deux secondes, son bras, son épaule, son corps tout entier, puis enfin sa tête, passèrent à travers l'épais portail. Une sensation bizarre, comme des picotements glacés, vibra dans tout son être.

Une fois de l'autre côté, Luna voulut faire un test.

« Imaginons que je ne sois pas inconsistante... Est-ce que je peux encore passer ma tête au travers de... Aïe! Bigrenon, impossible! songea l'adolescente en se massant le front. Et là, maintenant, grâce au pouvoir d'Abzagal... Oui! Nom d'un marron, ça devrait bien m'aider! »

Une simple pensée suffisait en effet à lui faire avoir la consistance voulue!

Rassurée, Luna se mit en route et retrouva avec bonheur les tourbillons cotonneux qui maculaient le paysage d'une blancheur éternelle. Tout en se dirigeant vers le bord de la sphère, l'elfe se demanda d'où pouvait bien provenir ce déluge de flocons, puisqu'il n'y avait aucun nuage au-dessus d'elle. Mais ce monde était tellement différent du sien qu'elle cessa bientôt d'en chercher la logique.

Lorsque la paroi souple s'écarta devant Luna – qui se répétait mentalement le nom de Lloth –, le chemin de papier apparut aussitôt et se déroula devant ses pieds comme par magie. L'adolescente l'emprunta, se laissant guider par les zigzags incessants de la bande blanche qui ondulait dans l'azur parfait.

Les lucioles scintillantes vinrent de nouveau à sa rencontre, virevoltant près de sa chevelure argentée, dansant autour de sa robe sombre, mais s'échappant en nuées éparses au moindre effleurement de tissu. Puis soudain, le nuage de paillettes argentées glissa au-dessous d'elle et s'éloigna dans le firmament.

Luna, le visage baigné de soleil, chercha des yeux l'astre du jour... Mais à sa grande surprise, où que se posât son regard, nul soleil n'apparaissait, nulle ombre non plus. C'était comme si la douce lumière qui la réchauffait émanait de chaque recoin du ciel... Un prodige de plus que Luna ne comprendrait jamais.

Une fois encore, l'elfe admira les sphères qui flottaient autour d'elle. Dans l'une d'entre elles, Luna distingua une plage paradisiaque, bordée de palmiers d'un vert tendre, léchés par les eaux turquoise d'un lagon. Dans une autre, des trombes de pluie s'abattaient avec violence contre les murailles grisâtres d'un vieux château en ruine. Mais celle qui émerveilla Luna fut une sphère toute ronde dans laquelle évoluaient des centaines de petites bulles irisées, comme autant de sphères miniatures.

Luna s'avoua qu'elle aurait adoré les visiter toutes et découvrir les divinités qui y vivaient... mais elle avait une mission – non, une *quête* – à accomplir!

Lorsque l'elfe arriva enfin au bord de la gigantesque sphère de la déesse Araignée, une simple pensée lui suffit pour utiliser son nouveau pouvoir. L'adolescente se glissa à travers la paroi transparente avant que celle-ci n'ait eu le temps de s'ouvrir devant elle. Sans attendre, Luna gravit le sentier qui menait jusqu'à la monumentale tour noire et franchit l'épaisse porte comme s'il s'était agi d'un simple voile de fumée.

L'obscurité lui tomba dessus comme une chape de plomb.

Lourde, profonde, absolue.

Une obscurité maléfique qui n'avait absolument rien de naturel.

Comme si les ténèbres avaient absorbé la moindre parcelle de lumière.

Malgré leur capacité à voir dans le noir, les yeux de Luna étaient comme aveugles. L'adolescente sentit la peur instiller son poison dans ses veines. Pourtant, la situation avait un avantage... Noyée dans la nuit, Luna était complètement invisible.

Invisible et insaisissable.

La voleuse idéale!

Pourtant, cela suffirait-il à tromper la vigilance de l'Araignée?

13

L'armée d'Hérildur passa la semaine suivante à brûler les milliers de corps entassés dans la forteresse d'Aman'Thyr, selon les rites funéraires des elfes dorés. Hysparion, amaigri, les joues creusées, le teint blafard, n'était plus que l'ombre de lui-même. Pourtant, jour et nuit, inlassablement, il prononçait les paroles sacrées qui conduiraient les âmes des défunts jusqu'au royaume des dieux, où ils deviendraient des anges.

Des anges de lumière et de paix.

De leur côté, Darkhan, Sarkor et les elfes argentés continuaient à arpenter la cité labyrinthique à la recherche de rescapés. Mais les macabres découvertes n'en finissaient pas, réduisant un peu plus chaque jour leurs espoirs de retrouver des survivants.

Pourtant, un matin...

Alors que Darkhan fouillait les ruines d'une maison en cendres, il entendit des coups sourds provenant du sous-sol. Envahi d'un fol espoir, le guerrier s'empressa de débarrasser le sol des décombres calcinés qui le recouvraient. Sous un amas de pierres noircies, il mit à jour une trappe métallique. Son cœur se mit à battre la chamade.

Frénétiquement, Darkhan dégagea les contours de la plaque et banda tous ses muscles pour la soulever. Soudain, elle céda et il tomba à la renverse.

Dans la seconde qui suivit, une dizaine d'elfes de soleil, havres et faméliques, bondissaient hors de la cave, pointant leurs sabres aiguisés sur la gorge du guerrier.

— Arrêtez! s'écria Darkhan, affolé. Je... je suis...

— Nous savons ce que tu es, maudite créature! Et tu vas payer pour tes crimes! aboya un des rescapés en appuyant sa lame sur la gorge de l'elfe noir.

Darkhan comprit avec horreur que la couleur de sa peau en faisait un ennemi.

Ces elfes dorés le prenaient pour un drow! Pour un meurtrier!

— Je... je suis avec Hysparion! s'empressa-t-il de crier pour tenter de sauver sa peau.

Un filet de sang maculait déjà la lame étincelante.

L'elfe, intrigué, retint son geste.

— Le Grand Mage a utilisé votre téléporteur pour aller chercher de l'aide auprès d'Hérildur à Laltharils, reprit précipitamment Darkhan, ignorant la douleur. Nous sommes une cinquantaine d'elfes de lune, venus pour porter secours aux rescapés d'Aman'Thyr...

— Tu dis « nous », mais tu n'es *pas* un elfe de lune, misérable! grogna son agresseur.

— Je sais que ça semble difficile à croire, mais je suis un sang-mêlé... Je m'appelle Darkhan et je suis le petit-fils d'Hérildur.

L'autre le toisa avec incrédulité.

— Il dit vrai! s'écria soudain un guerrier elfe argenté qui accourait pour sauver son ami, alerté par les éclats de voix. Darkhan est des nôtres!

De mauvaise grâce, l'agresseur rangea son épée en marmonnant quelques paroles indistinctes que Darkhan prit pour de vagues excuses.

La découverte de cette famille de rescapés redonna du cœur à l'ouvrage à l'équipe de sauvetage, qui se mit à déblayer avec une ardeur nouvelle les décombres de chacune des maisons, boutiques, palais, échoppes et autres chapelles de la ville. Ce fut avec une indicible joie que les sauveteurs délivrèrent plusieurs centaines de survivants, coincés sous les ruines d'Aman'Thyr.

Toutefois, après cette terrible méprise qui aurait pu lui coûter la vie, Darkhan fut assigné à une autre tâche, tout comme son père, d'ailleurs. Le général Norilyan les chargea de retrouver les entrées des passages secrets qui avaient servi aux hordes de drows pour envahir la forteresse.

Les deux hommes se mirent immédiatement au travail.

Pendant des jours et des jours, le père et le fils fouillèrent sans relâche les profondeurs d'Aman'Thyr. Ce qu'ils y découvrirent les stupéfia. Il existait sous la citadelle un vaste réseau de galeries serpentant au cœur de la roche, qui permettait de se rendre n'importe où sans emprunter les rues.

Hysparion comprenait désormais comment les guerrières de Lloth avaient pu agir aussi vite et de façon aussi radicale. Ce qu'il ne comprenait pas, en revanche, c'était comment ces maudites drows avaient eu connaissance de ces tunnels dont même les Mages ignoraient l'existence. Il était impensable qu'elles les aient fait creuser elles-mêmes. Il aurait fallu des centaines d'années à leurs esclaves pour parvenir à un tel résultat. Par ailleurs, les galeries, parfaitement étayées et déblayées, étaient l'œuvre de professionnels. Des nains, sans doute. Des sillons dans le sol semblaient indiquer que ces chemins souterrains avaient régulièrement été utilisés pendant plusieurs siècles. Et quelques glyphes, apparemment très anciens, ornaient certaines parois, comme pour indiquer une direction.

Darkhan prit l'initiative de réaliser des plans de cet incroyable réseau. D'abord, pour ne pas se perdre à mesure qu'ils avançaient dans les boyaux obscurs. Ensuite, pour comprendre la façon dont ils se rejoignaient. Avec beaucoup de minutie, il nota les bouches d'entrées, les carrefours, les culs de sac et les salles de taille modeste qui permettaient sans doute aux anciens occupants de la citadelle de se réunir pour manger ou dormir.

Au bout de trois semaines, Darkhan finit par découvrir une galerie beaucoup plus large et rectiligne, qui filait en direction du nord-est. Saisi d'un étrange pressentiment, il la suivit pendant plusieurs kilomètres avant de rebrousser chemin.

Darkhan avait acquis deux certitudes.

C'était bien par là que les guerrières drows étaient arrivées.

Ce tunnel allait certainement jusqu'à Rhasgarrok... en passant sous la cabane du Marécageux!

Fort de la découverte de son fils, Sarkor demanda à Norilyan et à Hysparion la permission de prendre dix hommes avec eux pour remonter la galerie jusqu'aux marais de Mornuyn.

Le voyage dura presque deux jours.

Deux jours et deux nuits à marcher, ne s'autorisant que quelques pauses de sommeil pour récupérer et limitant la consommation des vivres en prévision d'un trajet plus long que prévu. À leur grand soulagement, ils ne rencontrèrent aucune patrouille drow. Ces cruelles guerrières étaient apparemment reparties aussi vite qu'elles étaient venues. Seuls les milliers de victimes qu'elles avaient laissées derrière elles attestaient de la violence incontestable de leur passage.

Finalement, Darkhan déboucha dans une salle circulaire qu'il reconnut immédiatement. Le carrefour aux quatre directions. Celle qui menait vers l'est, vers Rhasgarrok, s'ouvrait devant eux, béante comme la gueule d'un prédateur. Mais celle de Laltharils n'existait plus. Le Marécageux avait tenu sa promesse : grâce à sa magie, il avait bouché ce passage. Darkhan se demanda pour quelle raison mystérieuse le vieil ermite n'avait pas également pris soin de condamner la galerie menant vers la cité drow. Cela aurait été tellement plus logique et sensé...

Guidé par Darkhan, la petite troupe parvint rapidement jusque dans la cave creusée sous la cabane du Marécageux. Celle-ci avait été taillée dans le tronc d'un marronnier géant sur l'unique île des marais. L'échelle de bois avait disparu, mais la trappe située dans l'âtre de la cheminée était ouverte. La lumière du jour se déversait jusqu'à eux dans un scintillement de poussière pailletée.

Ignorant s'il s'agissait d'un bon présage ou non, Darkhan, porté par ses camarades, se hissa dans la maisonnette.

Alors, son cœur s'arrêta de battre.

Autour de lui, il n'y avait plus rien...

Le néant.

Total. Absolu. Terrible.

Plus de cabane douillette, plus de marronnier protecteur, plus de refuge secret.

De l'arbre, sans doute pulvérisé par une magie démoniaque, il ne restait qu'un immense cratère qui avait ravagé la petite île et soufflé la végétation marécageuse sur plusieurs centaines de mètres, annihilant toute forme de vie.

Est-ce que le Marécageux avait péri dans la catastrophe?

Darkhan n'aurait su le dire, mais lorsqu'il redescendit, ses yeux brillaient de larmes contenues. Il pensait à Luna et à son profond chagrin lorsqu'il lui apprendrait la triste vérité.

14

L'obscurité totale qui noyait l'antre de Lloth était sans l'ombre d'un doute le fruit d'un puissant sortilège. Luna, comme une aveugle, hésita un instant puis choisit d'avancer droit devant elle. Puisqu'elle n'y voyait absolument rien, elle allait se fier à son instinct, à ses sens et à sa mémoire. L'adolescente se rappelait parfaitement l'interminable escalier qu'elle avait descendu pour atteindre la porte de la tour. Certes, la voie était alors ouverte par des bougies écarlates, mais grimper dans le noir ne devrait pas s'avérer trop compliqué. Le plus dur viendrait après...

Après quelques pas dans les ténèbres, les ballerines de l'elfe rencontrèrent les marches attendues.

« Nous y voilà, sacrevert! fit Luna, rassurée. Je n'ai plus qu'à prendre mon mal en patience et monter, monter, encore et encore, cet interminable escalier. Courage, cornedrouille! Pense à Ambrethil et à Elbion que tu vas bientôt retrouver! » s'encouragea-t-elle pour trouver la force mentale de continuer.

Mais au bout d'une dizaine de minutes seulement, son pied ne rencontra plus aucune marche...

Curieux! Dans son souvenir, Luna avait mis plusieurs heures à descendre cet escalier vertigineux. Cela n'était pas normal du tout. Ou bien elle s'était trompée de chemin ou bien... il s'agissait d'un autre maléfice et elle n'était pas au bout de ses peines!

Luna tâtonna dans l'obscurité, sondant chaque fois le sol devant elle, de peur d'y découvrir une large fosse remplie de toiles gluantes ou d'araignées grouillantes. Le problème, c'est qu'ainsi, elle avançait très lentement. Or la tour de Lloth était gigantesque. Jamais, à ce rythme, elle ne parviendrait à trouver la couronne, à la voler et à la ressortir de là. Elle allait y mettre des jours entiers, des semaines peut-être.

Maintenant que Luna était infatigable, qu'elle n'avait plus besoin de dormir ni de s'alimenter, ce n'était pas vraiment un problème... mais Lloth n'était pas aveugle, elle! La déesse finirait par deviner qu'un intrus s'était glissé dans son antre... et surgirait devant sa proie au moment où Luna s'y attendrait le moins. Certes, l'elfe faisait confiance au don que lui avait offert Abzagal pour s'en sortir, mais ce n'était pas pour sa propre vie qu'elle craignait.

C'était pour celle de sa sœur!

Sylnor avait beau l'avoir menacée, trompée, trahie, elle était tout de même sa petite sœur. L'autre fille d'Ambrethil. Et Luna ne se voyait pas rentrer à Laltharils sans elle...

Perdue dans ses pensées, Luna sentit au dernier moment le sol se dérober sous ses pieds.

Elle faillit tomber, se rattrapa de justesse, bascula en arrière et tomba sur les fesses. Son cœur tambourinait dans sa poitrine. Elle l'avait échappé belle!

Luna se mit alors à quatre pattes et sonda les froides dalles de granit.

Ses doigts rencontrèrent l'arête à vif d'un trou, à moins qu'il ne s'agisse d'une fosse ou même d'un précipice? Impossible, dans l'obscurité, d'en deviner la largeur ni la longueur. Luna aurait aimé y jeter un petit objet pour vérifier sa profondeur, mais elle n'avait absolument rien sur elle, à part sa robe et ses chaussures.

Tout en restant dans cette position, Luna longea la faille pour tenter de la contourner, mais plus elle avançait, plus son instinct lui criait que la fosse était immense et l'empêcherait d'aller plus loin. Alors, elle eut une idée...

Si elle réutilisait son pouvoir de télékinésie sur le mur qui se trouvait de l'autre côté du précipice? Évidemment, il ne s'envolerait pas jusqu'à elle, mais *elle,* pourrait *voler* jusqu'à lui! C'est ce qui s'était passé lorsqu'elle avait fui la gardienne de la toile. Cela valait sans doute le coup de retenter l'exploit...

Luna se releva, tendit les bras en avant, mains écartées, et concentra toute sa puissance pour faire venir à elle le mur d'en face. Elle n'eut pas longtemps à attendre. Une force prodigieuse l'arracha au sol et la propulsa droit devant elle à une vitesse phénoménale!

Le choc contre le mur risquait d'être terriblement douloureux...

À moins de passer au travers!

Au dernier moment, Luna utilisa le pouvoir du Dragon et sentit un nuage glacé parcourir son corps, mais également freiner sa course. Se trouvait-elle au cœur d'un mur? D'une muraille? Allait-elle jaillir à l'extérieur, dans la lande ensoleillée? Cette idée l'aurait réjouie s'il n'y avait eu la perspective de devoir tout recommencer.

Soudain, Luna ressortit de l'épaisse paroi de granit et glissa sur le sol d'un couloir éclairé par des torches blafardes. Ne ressentant aucune douleur, elle se releva vivement et regarda autour d'elle. L'endroit, aussi lugubre soit-il, était désert. L'adolescente eut alors une autre révélation. Si, pour rester invisible, elle marchait *dans* les murs, se contentant de jeter un œil discret, de temps à autre, pour vérifier où elle se trouvait?

Lune ne fit ni une ni deux! Elle mit son plan à exécution et se faufila dans l'épaisseur du granit.

Quelle étrange sensation que de se déplacer au cœur de la pierre!

C'était comme si une brise glacée transperçait le corps de l'elfe, faisant voler ses mèches argentées et sa longue robe noire. Pourtant, Luna n'avait pas froid. Elle sentait le contact glacial du granit, mais n'en souffrait pas.

Régulièrement, Luna pointait le bout de son nez dehors pour voir à quoi ressemblaient les pièces qu'elle longeait. À sa grande surprise, cette partie-là de la tour était radicalement différente de l'entrée monumentale plongée dans une obscurité surnaturelle. L'elfe découvrait maintenant une multitude de couloirs, de pièces vides sans aucune porte, sans doute des prisons, un laboratoire plein de matériel d'alchimie, une nourricière où reposaient d'énormes cocons soyeux et un escalier en colimaçon, qu'elle emprunta pour atteindre le niveau supérieur. Au fil de sa progression, Luna était de plus en plus convaincue qu'elle se trouvait dans la partie de la tour qu'habitait la déesse. Il suffisait de trouver la salle où elle dissimulait ses richesses, à moins que la couronne ne se trouve carrément dans sa propre chambre. Luna avait le pressentiment que Lloth devait dormir à côté de son trésor le plus précieux pour le surveiller même au plus profond de ses rêves maudits...

Poursuivant sa visite, Luna tomba sur plusieurs pièces renfermant des cocons blanchâtres, à différents stades de croissance. Certains grouillaient déjà d'araignées microscopiques, d'autres semblaient battre au rythme du cœur des arachnides qu'ils renfermaient.

Puis, alors qu'elle commençait à perdre espoir, Luna découvrit une immense salle illuminée de milliers de bougies argentées. Au fond se dressait un trône majestueux.

« Un trône de reine... songea Luna. Allons voir si la couronne ne se trouve pas par là... »

L'adolescente, tout en se dissimulant dans le mur de gauche, parvint jusqu'au fond de la pièce et se faufila auprès du trône. Sculpté dans une roche plus noire que la nuit, le splendide fauteuil possédait une assise de velours grenat et des accoudoirs sculptés d'une finesse extraordinaire. Au centre du dossier était sertie une obsidienne entourée de huit pattes ciselées et surmontée d'un visage de drow. La déesse dans toute sa splendeur.

« Dans toute sa laideur, oui! rectifia aussitôt Luna tout en palpant le trône à la recherche d'une cache dissimulée pour abriter le bijou. Sacrevert! Comment Lloth fait-elle pour poser son énorme postérieur sur un coussin aussi petit? »

Cette pensée lui arracha un sourire, mais ne trouvant aucun mécanisme sur le trône, elle retrouva son sérieux et abandonna ses recherches. Elle s'enfonça alors dans le mur de droite pour continuer sa visite et découvrit avec stupéfaction qu'il était creux!

Un passage secret!

Luna décida de le suivre, se disant qu'au moindre bruit suspect, il lui serait aisé de retourner dans l'épaisseur de granit. Mais l'endroit, comme tout le reste de la tour, d'ailleurs, semblait complètement vide. Pourtant, la redoutable Lloth devait rôder quelque part, dans l'ombre... Le plus important était de ne pas tomber nez à nez avec elle. Car même si Luna possédait désormais d'extraordinaires pouvoirs, la déesse la terrifiait et risquait de lui faire perdre tous ses moyens.

Luna en était là dans ses pensées quand une porte d'ébène lui barra le chemin. Elle passa lentement sa tête au travers des fibres de bois et découvrit une somptueuse chambre à coucher.

D'épais et longs rideaux cramoisis ornaient les murs, de larges divans recouverts de velours écarlate étiraient leurs courbes gracieuses sur des tapis moelleux qui se chevauchaient dans d'éblouissants camaïeux de rouges. Et, au fond, dans une alcôve circulaire, trônait un superbe lit à baldaquin.

S'assurant d'un regard que la voie était libre, Luna s'avança prudemment. Ses yeux furetaient à droite, à gauche, à la recherche d'un meuble, d'un coffre, d'un tiroir susceptible de dissimuler la couronne magique. En vain...

Une fois devant la lourde tenture du baldaquin, Luna tendit l'oreille pour s'assurer que la déesse n'était pas en train d'y dormir. Comme aucun bruit de respiration ne lui parvint, Luna approcha son visage du tissu grenat et le traversa.

Tous ses membres se raidirent d'effroi autant que de dégoût.

Un immense cocon de fibres blanchâtres occupait la totalité du lit. Lloth n'avait nul besoin de matelas, de couvertures ni de draps pour dormir. Seule la chaleur de son nid de soie tissée lui procurait le confort dont elle avait besoin.

Révulsée, Luna était incapable du moindre mouvement.

Soudain, elle l'aperçut!

La couronne, sertie de pierres précieuses, scintillait au cœur du cocon.

Surmontant son aversion, et convaincue que grâce au don d'Abzagal elle ne toucherait pas vraiment les fibres emmêlées, l'adolescente glissa alors lentement sa main dans le nid de la déesse. Mais la couronne était trop profondément enfoncée pour que le bras de Luna soit suffisant; elle dut s'y glisser presque entièrement!

Malgré l'absence de sensation particulière, Luna sentit son estomac se retourner. Elle était sur le point de vomir lorsque ses doigts agiles rencontrèrent le bijou. Sa main se referma autour de l'objet convoité et elle s'extirpa aussitôt de l'horrible cocon.

Réprimant un frisson de dégoût, Luna se détourna du lit pour observer tranquillement la lourde couronne qu'elle tenait à présent entre ses mains. Émerveillée, elle admira les Pierres de Vie serties dans l'or. Elle s'empressa de les compter.

Il y avait en tout huit Pierres de Vie! Un saphir, un rubis, une aigue-marine, une topaze, une émeraude, une améthyste, de l'ambre et une grosse perle aux reflets nacrés. Sans doute celle-ci appartenait-elle à Eilistraée, dont le symbole était la lune? Pourtant, si les déductions d'Abzagal étaient correctes, la Pierre de Vie de Lloth aurait dû s'y trouver... Or, aucun des joyaux qui ornaient la couronne ne semblait symboliser la déesse Araignée. Abzagal avait parlé du *Joyau de l'Ombre*... Sûrement une obsidienne, plus noire que la nuit. Mais Lloth avait dû prendre la précaution de la dissimuler autre part, préférant réunir d'abord les neuf Pierres de Vie qui lui manquaient – dont celle du dieu Dragon – avant de sertir la sienne en dernier.

Dépitée, Luna fouilla la pièce du regard une nouvelle fois. Où pouvait donc se trouver ce fichu Joyau de l'Ombre? L'elfe ne pouvait pas s'en aller sans la pierre qui servirait de monnaie d'échange pour récupérer Sylnor.

Soudain, un léger mouvement derrière une tenture l'alerta.

Luna se figea et attendit.

Mais rien ne se passa.

Le rideau pourpre ondulait comme si quelque chose remuait de l'autre côté. Une araignée, une autre gardienne?

Luna aurait dû filer sans demander son reste, mais ce détail insolite l'intriguait trop... Maudissant sa curiosité, elle enfonça son visage dans l'épaisseur du tissu.

Devant ses yeux interloqués se balançait un énorme cocon à forme humaine!

— Sylnor! se réjouit Luna en écartant le rideau d'un geste sec. Par le Grand Putride, c'est formidable! Je n'aurai même pas besoin de l'aide d'Abzagal!

L'adolescente s'empressa d'arracher les fils gluants qui retenaient sa sœur prisonnière, en commençant par l'endroit où devait se trouver son visage. La pauvre Sylnor devait étouffer, là-dedans!

— Sylnor! Je suis là! murmura Luna tout en s'escrimant à défaire les soies gluantes qui la dégoûtaient tant une minute auparavant. Ne bouge pas, j'essaie de te libérer, mais... ça colle, ce truc!

Lorsqu'elle devina la peau sombre de la jeune drow, ses doigts s'activèrent davantage. Ôtant plusieurs épaisseurs de fibres blanchâtres et collantes, Luna dégagea d'abord le front, un œil, puis l'autre, et enfin le nez. Le teint blafard, presque gris, de sa sœur l'inquiéta aussitôt. Mais en découvrant ses lèvres exsangues, Luna craignit d'arriver trop tard.

Si Sylnor était morte, que dirait-elle à Ambrethil?

Pourtant, la bouche de sa sœur remua imperceptiblement.

Un intense soulagement s'empara de Luna.

— Sylnodel? s'étonna Sylnor d'une voix à peine audible. Oh, aide-moi, je t'en supplie... J'ai si mal...

— Oui, je vais te tirer de là, c'est promis!

Alors que Luna arrachait à pleines mains les paquets de soies engluées, pour libérer le cou et les poumons de sa sœur afin qu'elle puisse respirer, une voix dans son dos la tétanisa.

— Tiens donc! Sylnodel en train de délivrer sa sœur... s'étonna Lloth. Quel spectacle attendrissant! Je suis impressionnée. Je ne m'attendais absolument pas à te trouver dans mes appartements privés... Tu es vraiment une gamine pleine de ressources insoupçonnées. Dommage que tu ne sois pas une drow, car tu as l'étoffe d'une prêtresse.

Le souffle court, Luna se retourna lentement, s'efforçant de dissimuler la couronne dans son dos. La déesse marqua une pause, se délectant de la peur qu'elle lisait sur le visage de l'adolescente.

— Tu te doutes évidemment qu'en mettant les pieds ici, tu as commis un terrible sacrilège? Si tu es prête à prendre de tels risques pour Sylnor, j'en déduis que tu as échoué et donc que tu n'as pas le Joyau de Glace d'Abzagal... Est-ce que je me trompe?

À l'évocation du dieu Dragon et de la trahison qu'elle était en train de commettre, Luna sentit ses joues s'empourprer.

— Tu es sûre de ne rien me cacher, Sylnodel? murmura la déesse tout en la scrutant.

Mais Luna cherchait déjà une solution de repli. Elle ne pouvait plus délivrer sa sœur, ni chercher la Pierre de Vie de Lloth, mais elle pouvait encore s'échapper... en s'enfonçant dans le mur derrière elle.

— Montre-moi tes mains! cria soudain la déesse, soupçonneuse.

Luna recula jusqu'à toucher le mur. Il fallait absolument qu'elle tente quelque chose avant de s'enfuir comme une voleuse.

— J'ai un marché à vous proposer! déclara soudain Luna, surmontant sa frayeur.

Un rire cristallin accueillit sa proposition.

— Toi? Un marché? Et puis quoi encore? Je ne négocie jamais avec mes proies...

— Je crois pourtant que vous changerez d'avis en voyant ça! la nargua alors Luna en brandissant la couronne sertie de joyaux multicolores.

Aussitôt, une fureur effrayante dévasta le beau visage de Lloth. Ses yeux écarlates roulèrent dans leurs orbites comme deux balles affolées. Un rictus de haine tordit sa bouche dans une immonde grimace.

— Comment? rugit la déesse, blême de rage. Comment as-tu osé? Comment as-tu pu? Rends-moi ça immédiatement!

— Je compte bien vous la rendre, mais à une seule condition : que vous libériez ma sœur!

— C'est hors de question! hurla Lloth en se jetant sur celle qui osait la défier.

Mais déjà, Luna avait disparu dans l'épaisseur du granit.

Les griffes de l'Araignée lacérèrent la pierre, qui crissa de douleur.

Lloth s'arrêta nez au mur, abasourdie.

Son cœur immortel s'arrêta de battre quelques secondes. Lorsqu'il se remit en route, une haine meurtrière coulait dans ses veines.

— Ah, tu veux jouer, petite garce? murmura-t-elle avec un sourire mauvais. Très bien! Alors, jouons... mais selon *mes* règles!

15

Un gémissement sourd tira Kendhal de son sommeil.

« Sans doute Halfar qui fait un cauchemar... » songea-t-il en ouvrant un œil.

L'elfe de soleil se redressa lentement, mais immédiatement sa vue se troubla et sa tête se mit à tourner comme s'il avait trop bu. D'ailleurs, il avait la bouche pâteuse et horriblement sèche comme lorsqu'il abusait de la bière d'érable. Il ne se rappelait pourtant pas avoir bu d'alcool la veille... À part le brouet des gobelins, il n'avait rien ingurgité d'autre... Comment une simple soupe pouvait-elle le rendre malade à ce point?

Kendhal essaya de se lever, mais son cerveau se contracta comme si un serpent monstrueux cherchait à le broyer dans ses anneaux d'acier. La douleur le força à se rallonger. Que lui arrivait-il, bon sang? Jamais il n'avait connu pareille migraine. Soudain, un spasme convulsif le plia en deux. Un flot de bile acide jaillit entre ses lèvres gercées et macula sa chemise. Kendhal grimaça de douleur. L'acidité lui brûlait, ou plutôt non, lui *rongeait* la gorge.

De l'eau... Il fallait qu'il boive... Il avait atrocement soif...

Laissant errer son regard dans la pièce, l'adolescent aperçut un pichet ébréché et, malgré les courbatures qui faisaient de chaque mouvement une torture, il parvint en rampant à s'en emparer. Il le porta à sa bouche et but avec une telle avidité qu'il faillit s'étouffer. Il reposa le pichet en toussant bruyamment. Le liquide tiède avait un goût immonde, mais cela n'avait pas d'importance.

Soudain, alors que la douleur qui anesthésiait ses sens refluait, Kendhal eut un déclic olfactif. L'endroit où il se trouvait puait la sueur, l'urine et même autre chose de plus fort, de plus écœurant. Un second spasme contracta son estomac vide.

Alors, Kendhal s'aperçut qu'il ne portait plus de pantalon et comprit que quelque chose clochait. Il se redressa et observa la chambre... Il ne se souvenait pas que la porte avait des barreaux... de solides barreaux métalliques!

Alerté, il se redressa d'un coup et la réalité s'imposa à lui comme un coup de poing : il n'était plus à l'auberge gobeline, mais dans une infâme prison!

Que s'était-il passé? Et où était Halfar? Avaient-ils été piégés tous les deux par ces vils gobelins?

— Ah, ça y est... elfe réveillé! fit une voix nasillarde dans son dos.

Kendhal sursauta et pivota sans pour autant se relever. Il s'en sentait incapable.

Derrière les barreaux se tenait un gobelin, malingre, à la peau vérolée.

— Où suis-je? s'écria Kendhal, furieux malgré son état de faiblesse.

— Toi prison! Toi futur esclave! ricana son geôlier en dévoilant ses dents noires dans un sourire grimaçant.

— Mais c'est... c'est impossible! souffla l'elfe, horrifié. Et où est mon ami, un elfe noir nommé Halfar... Vous l'avez vu?

— Moi, pas connaître Halfar. Toi être seul elfe prison.

— Mais, nous... nous sommes toujours à Dernière Chance, n'est-ce pas?

Le gobelin éclata alors d'un rire sans joie.

— Nous être Rhasgarrok! rétorqua-t-il en crachant sur le sol avec mépris.

Kendhal sentit sa migraine revenir. Il cacha son visage dans ses mains et ferma les yeux.

La situation n'aurait pas pu être plus catastrophique. Par tous les dieux... comment avait-il pu atterrir ici? La dernière chose dont il se souvenait, c'était la soupe offerte par Halfar en guise de réconciliation. Ensuite, il avait sombré dans un sommeil lourd et profond et puis... il se réveillait ici. À Rhasgarrok! C'est donc qu'il avait dormi un jour entier, ou peut-être même plus! Cette prise de conscience lui donna le tournis. Un terrible pressentiment s'empara alors de l'adolescent... Et si la soupe?

Mais le babillage du gobelin interrompit le cours de ses pensées.

— Toi pas faire magie ici. Interdit! Toi porter collier de prisonnier... Collier empêcher magie! Ha! Toi avoir faim? demanda ensuite le gobelin.

Kendhal hocha la tête, ce qui décupla son mal de crâne.

— Moi revenir avec bon ragoût... fit le gobelin.

Alors qu'il s'éloignait en claudiquant, il s'arrêta pour lancer :

— Et si toi envie uriner, toi pas faire n'importe où, moi fatigué nettoyer cachot dégoûtant! Toi faire dans pichet, là!

Le pichet que Kendhal venait de vider pour étancher sa soif!

L'adolescent sentit la nausée retourner son estomac et vomit de nouveau sur la paillasse pleine de vermine. Pendant que le gobelin s'éloignait en marmonnant, Kendhal s'adossa au mur et sanglota en silence en pensant à Luna.

Combien de temps resta-t-il à moisir dans cet infâme cachot? Une éternité...

Combien de fois tenta-t-il de faire appel à sa magie pour tordre les barreaux? En vain...

Combien de ragoûts immondes et quelle quantité d'eau croupie dut-il ingurgiter? Trop, beaucoup trop!

Bien sûr, Kendhal aurait pu ne rien avaler et se laisser mourir à petit feu... Mais c'était lâche, et tant qu'il subsistait un espoir, même infime, de s'en sortir pour sauver Luna, il devait tenir bon.

Mais c'était très difficile de ne pas sombrer.

Les périodes de confiance alternaient avec le désespoir le plus sombre.

Parfois, il se disait que pour le moment, il était coincé entre ces quatre murs et ne pouvait pas faire grand-chose, mais bientôt, il serait acheté. Certes, un esclave ne jouissait pas d'une grande liberté de mouvement, mais s'il se montrait docile et suffisamment patient, il s'enfuirait à la première occasion venue.

Mais la seconde d'après, il se rendait bien compte que retrouver Luna dans la labyrinthique Rhasgarrok serait une tâche titanesque. De plus, jamais il n'y parviendrait sans sa cape magique. En tant qu'elfe doré, il serait aussitôt capturé et revendu au plus offrant.

Souvent, il pensait à Halfar, croupissant peut-être quelque part dans Rhasgarrok. Ce maudit aubergiste les avait piégés, Halfar et lui, en versant un puissant somnifère dans le brouet qu'il leur avait servi. Une fois les deux garçons profondément endormis, il les avait amenés jusqu'ici pour les vendre. Mais parfois, son esprit songeait à un autre scénario possible... Et si le cousin de Luna avait lui-même organisé cette odieuse mise en scène pour se débarrasser d'un compagnon trop encombrant?

Alors, son cœur se serrait de déception, de rage et de chagrin, que seul le sommeil parvenait à diluer dans son encre éternelle.

Un matin, pourtant, on vint le chercher.

Un humain, les cheveux rasés et la peau mate, se planta devant sa cellule, remplaçant son geôlier habituel. L'homme portait de beaux habits de couleur sombre. Il semblait riche et puissant. Son regard d'un bleu profond brillait d'intelligence. Kendhal crut qu'il s'agissait d'un acheteur.

— Salut! fit l'humain avec un petit signe de tête. Je suis Aymar, le meilleur fournisseur d'esclaves de Rhasgarrok. Et toi, tu es?

Kendhal se leva précipitamment et se redressa pour faire face au nouveau venu. Il aurait aimé faire bonne impression et parlementer avec cet homme qui semblait disposé à l'écouter, mais il était conscient de son état pitoyable. Outre le fait que sa chemise portait d'immondes traces jaunâtres, il était jambes nues et devait sentir atrocement mauvais.

— Hum, je... je m'appelle Kendhal, fit l'adolescent, après s'être raclé la gorge. Je suis le fils d'Hysparion, Grand Mage à la Cour d'Aman'Thyr et...

— Oh! Rien que ça? fit l'autre, visiblement impressionné. Tu es donc un prince?

— Oui, même si ça ne se voit pas vraiment... fit Kendhal, rouge de honte. Vous savez, je suis certain que ma famille sera tout à fait disposée à payer une belle rançon pour me récupérer. Si vous...

— Oublie ça, petit! le coupa l'humain. Ta famille ne peut plus rien pour toi. La somme que je vais gagner en te vendant cet après-midi vaut toutes les rançons du monde.

— Mais...

— Désolé, heu... Kendhal, c'est bien ça? Je n'ai rien contre toi, mais posséder un elfe de soleil, c'est la chance de ma vie, tu comprends? L'occasion de faire fortune et d'arrêter cette activité qui me dégoûte chaque jour un peu plus. J'aspire à une vie plus calme, moins... dangereuse. Ton gardien va venir te chercher pour te refaire une petite beauté. Impossible de te vendre dans cet état...

— Combien comptez-vous me vendre? l'interrompit Kendhal.

— Je t'ai acheté 1500 pièces d'or, car nous étions trois sur le coup et les enchères ont vite grimpé. Mais je n'ai pas hésité à mettre le paquet, parce que je sais que tu me rapporteras au moins dix fois ma mise... Si tu te récures à fond, que tu t'habilles décemment, que tu te coiffes et te parfumes, évidemment!

— Dites-moi qui m'a vendu! s'écria alors le garçon, soudain plein de hargne.

— Un gobelin de Dernière Chance, un certain Guizmo, aubergiste, je crois. Mais quelle importance, désormais? fit l'homme en s'éloignant. À tout à l'heure!

Kendhal serra les poings, maudissant l'aubergiste et sans doute Halfar qui l'avait dupé.

— Toi suivre moi! déclara soudain le gobelin, qu'il n'avait pas entendu arriver, en faisant jouer une grosse clé dans la serrure. Et toi pas t'enfuir sinon moi donner coups avec bâton de foudre!

Kendhal, plus désespéré que jamais, dut se résoudre à suivre son geôlier sans broncher ni tenter quoi que ce soit. Il connaissait ce genre d'arme et n'avait pas envie de se prendre de violentes décharges électriques.

Après avoir parcouru un incroyable dédale de corridors étroits, percés de cellules aussi immondes que la sienne, Kendhal parvint à une pièce dont le sol humide et les tuyauteries fixées aux murs indiquaient qu'il s'agissait probablement d'une salle de bains. Sur une étagère bancale, de somptueux vêtements soigneusement pliés l'attendaient.

— Toi puer bouc, pouah! Dégoûtant! Alors toi, tout nu et frotter crasse partout! fit le gobelin en lui tendant un gros morceau de savon noir. Après toi rincer avec tuyau. Allez!

Kendhal, mort de honte, dut mettre sa pudeur de côté et obéir.

Le cauchemar ne faisait que commencer...

Lorsque, quelques heures après, Aymar refit son apparition, il émit un sifflement d'admiration.

— Impressionnante métamorphose! déclara-t-il en observant l'elfe sous toutes les coutures. Ces vêtements te vont à merveille! Quelle allure, mon garçon! Dommage que tu portes encore cet affreux collier, mais je ne peux pas me permettre de te laisser utiliser ta magie. Ce serait dommage que tu te venges sur mes clients, n'est-ce pas?

— Allez vous faire voir! cracha Kendhal avec tout le mépris dont il se sentait encore capable.

— Allons, allons, pas d'animosité entre nous. Nous sommes des gens civilisés. Comportons-nous comme tels!

— Vendre des esclaves n'est pas franchement ce que j'appelle être civilisé!

L'autre haussa les épaules, fataliste.

— Que veux-tu, en ce bas monde, il faut bien survivre... Maintenant, suis-moi! lui ordonna-t-il en lui faisant signe de la main. Ma salle d'exposition est pleine à craquer d'acheteurs potentiels et leurs bourses regorgent d'or... Il faut dire, avec toute la publicité que je fais depuis quinze jours!

— Hein? s'étonna Kendhal, abasourdi. Je suis ici depuis... quinze jours?

— En effet, et je peux te dire que le bouche à oreille a très bien fonctionné. Toute la ville ou presque est au courant que je détiens un elfe de soleil et que sa mise à prix débute à 5 000 pièces d'or! annonça-t-il fièrement en se frottant les mains.

Il s'engagea le premier dans l'escalier en colimaçon permettant d'accéder aux niveaux supérieurs, suivi de Kendhal et de l'affreux gobelin qui brandissait toujours son bâton d'un air menaçant.

La vaste salle aux colonnes de marbre noir était en effet bondée de clients et de curieux, avides de découvrir le fameux spécimen dont on leur avait tant rebattu les oreilles. Ce genre de marchandise était suffisamment rare et convoitée pour qu'une bonne partie des nobles de Rhasgarrok fassent le déplacement et s'entassent sur les gradins recouverts de coussins moelleux. Celui qui aurait la chance de ramener chez lui cet esclave exceptionnel susciterait la convoitise et la jalousie de toutes les Maisons voisines!

Aymar grimpa sur une large estrade et, d'un geste théâtral, présenta son elfe de soleil.

— Le prince Kendhal ici présent est issu de l'une des familles les plus renommées d'Aman'Thyr, comme le prouve le tatouage qui orne sa joue droite. Son père dirige en effet le Conseil des Mages. Il est jeune, en excellente santé et plutôt beau pour qui aime les blondinets bronzés.

Quelques rires fusèrent. Aymar sourit et reprit :

— Comme je vous l'ai annoncé, il s'agit d'un produit rarissime. Quelle Maison de Rhasgarrok peut se targuer de posséder un véritable elfe doré? Aucune à ma connaissance! C'est pour cette raison que le prix de départ est fixé à cinq mille pièces d'or. Alors? Qui souhaite acquérir cette merveille?

Une vingtaine de mains se levèrent brusquement et les enchères grimpèrent aussitôt.

Écœuré, Kendhal regardait ces drows, hommes et femmes, se battre et dépenser des fortunes pour pouvoir le posséder comme s'il n'était qu'un vulgaire objet. Un meuble ou un tableau qu'on expose dans son salon et qu'on montre à ses amis...

À mesure que les prix s'envolaient, le sourire d'Aymar s'élargissait.

Au bout d'une heure, il n'y avait plus que trois acheteurs en lice, mais ils n'en démordaient pas. Ils surenchérissaient systématiquement de cinq cents pièces d'or et Kendhal valait désormais la colossale somme de vingt-quatre mille pièces d'or. Aymar était au comble du bonheur. Il prenait enfin sa revanche sur cette ville qui l'avait tant fait souffrir...

Soudain, les portes de la salle explosèrent, déversant dans les gradins un flot de guerrières drows en armures noires brandissant des cimeterres acérés. Elles se frayèrent un chemin à coups de lame. Les protestations outrées des spectateurs se muèrent rapidement en gargouillis immondes au contact de l'acier affûté qui tranchait les gorges à tout va.

Les yeux de l'esclavagiste s'écarquillèrent d'effroi. Il avait reconnu les envoyées de Matrone Zesstra! Rapide comme l'éclair, l'une des guerrières sanguinaires fit un bond sur l'estrade et l'attrapa par le col avant qu'il n'ait pu faire le moindre geste.

— Alors, Aymar... on s'amuse à vendre un elfe de soleil sans même l'avoir proposé à la grande prêtresse? C'est pas bien, ça... non, c'est vraiment pas bien.

— Mais... je... je...

— Garde tes protestations ou tes excuses... C'est trop tard! Tu aurais dû livrer cet elfe à Matrone Zesstra. Elle t'aurait largement récompensé. Mais comme tous les humains, tu es trop stupide et cupide pour comprendre où est ton intérêt! grimaça-t-elle en crachant au visage de l'homme.

Puis se tournant vers les rares rescapés, elle s'écria :

— Regardez ce qu'il en coûte d'agir dans le dos de Matrone Zesstra!

D'un geste aussi vif que précis, elle décapita Aymar, dont la tête s'envola dans une gerbe écarlate pour retomber lourdement sur le marbre du sol.

Kendhal, livide et tremblant, retenait son souffle.

La guerrière s'approcha alors de lui. De ses prunelles ardentes, elle le toisa longuement, dans le silence mortel de la salle, et finit par sourire.

— Tu es un produit de choix, en effet. Aymar avait vraiment trouvé la perle rare. Dommage qu'il n'ait pas compris à qui l'offrir... Pourtant, quelle plus noble offrande qu'un elfe de soleil? En voyant palpiter ton cœur sur l'autel sacrificiel, Lloth sera comblée... Guerrières, suffisamment joué! Paralysez-le et emmenez-le dans les cachots du Monastère! ordonna-t-elle à ses acolytes, qui terminaient d'achever les derniers clients.

Alors, les envoyées de Matrone Zesstra quittèrent la salle de vente en emportant Kendhal, laissant derrière elles un bain de sang et de chairs lacérées.

16

Tout en songeant aux conséquences terribles de ses actes, Luna fuyait.

La fureur de la déesse Araignée devait atteindre son paroxysme.

Il faut dire que l'adolescente avait tout fait pour attiser sa colère... Ne pas rapporter le Joyau de Glace était déjà suffisamment grave en soi pour ne pas y ajouter le vol du précieux artefact. Lloth avait dû mettre des siècles et des siècles à récupérer les Pierres de Vie des autres dieux et déesses... Si la couronne lui échappait, jamais elle ne deviendrait leur reine. Des centaines d'années gâchées, des rêves de puissance anéantis, des velléités de gloire brisées... C'étaient tous les espoirs de Lloth qui partaient en fumée!

Traversant les murs, glissant dans les sombres couloirs, se faufilant à travers les portes, Luna courait le plus vite possible pour échapper à la déesse. Certes, son don d'immatérialité lui conférait une précieuse avance, mais l'elfe savait que Lloth était chez elle et que ses pouvoirs n'avaient pas de limites. Luna frémit d'horreur à l'idée de ce que lui ferait subir la déesse si jamais celle-ci parvenait à la rattraper...

Luna fonçait droit devant elle. Jusqu'à présent, aucun obstacle n'avait pu la freiner. Mais elle angoissait à l'idée de retomber dans les ténèbres absolues qui hantaient le reste de la tour. Tant qu'elle y voyait, elle pouvait fuir. Il en serait tout autrement dans l'obscurité la plus complète. Impossible d'éviter tous les gouffres, pièges, araignées et autres réjouissances orchestrées par la propriétaire des lieux.

L'adolescente, terrorisée par cette perspective, finit par s'arrêter, à bout de souffle, pour essayer de se repérer. Le problème, c'est qu'elle avait fui dans une tout autre direction que celle par laquelle elle était arrivée. Luna était complètement perdue. Si seulement elle avait su par où se trouvait le mur d'enceinte le plus proche! Il lui aurait suffi de le traverser, d'atterrir dans la lande et de bondir sur le chemin de papier pour échapper aux griffes de Lloth, la déesse ne pouvant s'aventurer hors de sa sphère...

Cela semblait si facile et pourtant, Luna était à deux doigts de craquer. Dans quelle direction s'élancer pour ne pas se tromper et éviter de se jeter dans les griffes de l'Araignée?

Luna essayait de réfléchir quand un léger cliquetis la fit sursauter.

Elle se retourna d'un bond et se figea en découvrant Lloth, à moins de quatre mètres d'elle. La déesse avait revêtu une cuirasse noire qui recouvrait entièrement ses pattes et son céphalothorax. Un heaume de guerrière cachait son visage, laissant juste apparaître deux pupilles flamboyantes de haine.

Luna cessa de respirer.

— Tu sembles surprise de me voir, Sylnodel! ironisa la déesse. Pourtant, tu t'es montrée fort impolie en me faussant compagnie sans mon autorisation, emportant de surcroît l'un de mes trésors les plus précieux... Je veux bien croire qu'il s'agit uniquement d'une erreur de jeunesse... Maintenant, sois raisonnable! Si tu me remets la couronne, je te laisse la vie sauve et te donne une nouvelle chance de dérober le Joyau de Glace. Je t'offrirai même un nouveau pouvoir pour que, cette fois, tu déjoues la vigilance de notre cher Abzagal. C'est une offre inespérée, n'est-ce pas? Sans compter que notre ancien marché reste valable. Si tu me ramènes ce que je désire, Sylnor sera libre... Qu'en penses-tu?

Luna hésita quelques secondes, mais un pressentiment l'alerta.

Lloth mentait! Ses mielleuses paroles et ses promesses alléchantes n'étaient que du vent.

La lueur malsaine qui brillait dans ses yeux disait tout autre chose que sa bouche. Dans son regard rouge sang étincelaient des envies de vengeance, de torture, de meurtre!

Tout en se rapprochant d'un mur, Luna la toisa avec tout le mépris dont elle était capable.

— Je préfère mourir plutôt que de vous laisser cette couronne! cracha-t-elle. Vous ne serez jamais la reine des dieux!

Comprenant que la gamine allait de nouveau s'échapper en s'enfonçant dans la pierre, Lloth, rapide comme l'éclair, lui envoya un sort de pétrification. Mais le sortilège traversa le corps de Luna pour s'abattre avec fracas contre le granit. L'adolescente profita de cette erreur de discernement pour plonger dans le mur et disparaître complètement.

La déesse fulminait.

— Je vois qu'Abzagal t'a offert un don exceptionnel... grinça-t-elle. Mais grâce à mon armure, je peux désormais te suivre partout. Même au cœur de la matière... Et lorsque je t'aurai retrouvée, tu hurleras en sentant le métal incandescent de mes griffes ronger tes chairs!

Pendant que Luna courait à en perdre haleine, son cerveau essayait de suivre le rythme en réfléchissant aussi vite. La conclusion à laquelle elle parvint se révéla aussi implacable qu'effrayante : si Lloth l'avait retrouvée aussi rapidement, c'était sûrement parce qu'elle bénéficiait du même pouvoir d'immatérialité. La déesse s'était sans aucun doute glissée dans le granit pour la poursuivre!

Luna imagina les huit pattes géantes galopant à ses trousses.

Une vague de terreur glacée la submergea. Elle aurait voulu accélérer la cadence, car elle ne ressentait aucune fatigue, mais elle n'avait plus de souffle et ses poumons étaient en feu. Luna redoubla d'efforts, mais la brûlure était de plus en plus intolérable. Elle savait qu'il ne lui restait plus que quelques minutes, quelques secondes avant de s'écrouler. Soudain, Luna traversa un nouveau mur et jaillit dans les ténèbres les plus sombres.

Suffoquant, elle s'effondra et se recroquevilla sur elle-même, la poitrine incandescente. Autour d'elle, l'obscurité angoissante la rendait de nouveau aveugle. Essayant de calmer sa respiration saccadée, elle tendit l'oreille pour guetter l'arrivée de Lloth, qu'elle devinait imminente. À peine sa pensée était-elle formulée que l'horripilant cliquetis métallique des griffes recouvertes d'acier crissa sur les dalles.

— Ah, te voilà enfin... Sylnodel! grinça la déesse avec une délectation évidente. Perdue dans les ténèbres absolues de mon antre, comme une pauvre petite malheureuse. Tu sais que tu as eu beaucoup de chance... Un pas de plus et tu t'écrasais au fond d'un gouffre béant! Allez, la partie est finie... Fais glisser la couronne jusqu'à moi!

Mais Luna n'écoutait plus.

Risquant le tout pour le tout, l'adolescente alla puiser aux tréfonds de son cœur la rage et la haine qui donneraient naissance à la force mortelle capable de terrasser ses ennemis. Même si l'énergie qu'elle déployait ne pouvait pas tuer la déesse, elle pouvait toutefois lui offrir quelques précieuses secondes de répit pour fuir de nouveau. Luna jubila en sentant son pouvoir naître et grandir en elle pour jaillir sans attendre hors de son corps dans un éclair aveuglant.

L'espace d'un instant, la lumière illumina les ténèbres.

Un hurlement strident déchira l'air.

Luna soupira de soulagement avant de défaillir de terreur.

— Impressionnante démonstration! glapit Lloth, apparemment indemne. Personne n'aurait pu survivre à une onde de choc d'une telle puissance. Félicitations! Mais le problème avec les divinités, c'est qu'elles sont... immortelles! Dommage, hein? Je te croyais plus intelligente, Sylnodel. Je suis déçue. Très déçue. Sache que je ne pactise jamais avec ceux qui me déçoivent. Alors, je vais te tuer, petite traîtresse. Lentement, à petit feu, pour te faire payer ton incroyable audace. Et quand j'en aurai terminé de jouer, j'enfoncerai profondément mes griffes dans tes entrailles encore chaudes et poisseuses...

Ces derniers mots, crachés comme du venin, firent germer une idée dans l'esprit de Luna.

Une idée folle. Désespérée.

Mais la seule capable de lui sauver la vie.

— Vous jubilez un peu vite! lui reprocha Luna tout en restant la plus recroquevillée possible. Vous parlez de ma mort alors que vous ne me tenez même pas encore entre vos sales pattes!

— Justement, Sylnodel, mes *sales* pattes, comme tu dis, sont recouvertes d'un métal contre lequel tu ne peux rien. Malgré le pouvoir du Dragon, tu ne pourras pas échapper à leur étreinte!

Tout se passa alors très rapidement.

La déesse Araignée bondit sur sa proie à une vitesse incroyable. Mais alors que ses griffes, tranchantes comme des lames de rasoir, s'apprêtaient à déchiqueter l'adolescente, elles ne rencontrèrent que du vide.

Luna avait disparu!

Lloth hurla de rage et toute la tour vibra sous l'effet de sa fureur.

Pensant que l'odieuse gamine était devenue invisible, l'Araignée se mit à tourner sur elle-même, déchirant le vide, arrachant des lambeaux d'air, déchiquetant le néant. Toute à sa folie meurtrière, Lloth ne prit pas garde au gouffre béant.

Le pas fatal arriva. La déesse disparut, happée par les profondeurs de son propre piège.

Luna avait échappé de justesse aux griffes de la nuit, mais cela serait-il suffisant pour rester en vie? Elle n'était pas certaine que son plan fonctionnerait, mais apparemment, son pouvoir lui permettait également de passer à travers le sol si elle le souhaitait. C'étaient les dernières paroles de Lloth qui l'avaient inspirée. Puisqu'elle était incapable de se remettre à courir et que, de toute façon, cela ne servait plus à rien, Luna avait choisi de *s'enfoncer profondément dans les entrailles* du granit. Elle avait disparu en une seconde et maintenant que plus rien ne l'arrêtait, elle chutait à une vitesse vertigineuse au cœur même de la tour.

Elle sentait à travers son corps immatériel l'alternance de plancher, de vide, de plancher, de vide. Interminable. Mais elle savait que le moment viendrait où elle transpercerait les fondations de la tour, les rochers, la terre épaisse de la lande, puis le voile léger de la sphère et enfin... elle jaillirait dans le vide du ciel éternellement bleu du royaume des dieux.

Luna savait que jamais Lloth ne la suivrait jusque-là!

Soudain, Luna paniqua. Elle n'avait pas songé à la force de la gravité! Et si elle ne pouvait plus s'arrêter de tomber? Si sa course verticale l'entraînait sans fin à travers d'autres sphères? Serait-elle condamnée à chuter pour l'éternité? Elle aurait pu, bien sûr, d'une seule pensée, retrouver sa consistance normale, mais à cette vitesse, l'impact lui serait certainement fatal. Son corps s'écraserait dans une immonde bouillie sanglante.

Alors que l'angoisse envahissait son esprit, Luna se mit à percevoir nettement la différence de matière. Au granit, froid et compact, succédait désormais l'humus, brun et collant, de la lande. Elle ferma les yeux, se préparant à être violemment expulsée de la sphère.

Au moment où son petit corps bascula dans le vide, Luna ne put retenir un cri.

Un cri de soulagement en revoyant enfin la lumière du jour.

Un cri de joie d'avoir échappé à la folie meurtrière de Lloth.

Un cri de frayeur en apercevant le vide dans lequel elle plongeait.

Alors, son cri se mua en hurlement.

Luna chutait depuis quelques secondes comme une pierre dans l'azur infini quand elle aperçut le nuage de lucioles scintillantes filer dans sa direction. Les myriades de fines particules argentées se répartirent aussitôt autour de l'elfe et, sans la toucher, ralentirent sensiblement sa vitesse. Bientôt, Luna se mit à flotter au milieu de cette nuée aussi mystérieuse que merveilleuse.

— Oh, par le Grand Putride, merci mille fois! s'exclama l'adolescente à haute voix, comme si les lucioles pouvaient l'entendre. Maintenant, pourriez-vous m'emmener chez Abzagal? J'ai quelque chose pour lui! fit-elle en agitant la couronne dont les joyaux étincelèrent au soleil.

Aussitôt, le chemin de papier blanc se matérialisa sous ses pieds pour se dérouler dans le firmament. Le nuage de particules de lumière se délita et les ballerines de Luna se posèrent en douceur sur la voie aérienne.

L'elfe regarda la nuée s'envoler vers d'autres cieux et s'empressa de s'élancer vers la demeure du Dragon. Lorsqu'elle aperçut la silhouette massive du palais de glace, son cœur se mit à tambouriner dans sa poitrine.

Sans attendre que la bande de papier touche la paroi de la sphère, Luna prit son élan et sauta à travers le voile translucide. Souhaitant ne pas traverser le sol, cette fois-ci, elle atterrit dans une gerbe de poudreuse. Le contact humide et glacé du manteau blanc la combla d'aise. La morsure de la neige lui rappelait à quel point c'était bon d'être vivante!

Luna se releva et se hâta de monter jusqu'au portail recouvert de givre, qu'elle traversa sans attendre pour se faufiler à l'intérieur. Là, d'une voix forte et assurée, elle s'écria :

— Youhou, Abzagal! C'est moi, Luna... enfin... Sylnodel! Je suis de retour!

Un véritable ouragan faillit lui faire perdre l'équilibre.

Les ailes du dieu Dragon battaient si fort que des tourbillons de cristaux de glace dansaient dans le vaste hall.

— Inutile de hurler! J'ai beau avoir plusieurs milliers d'années, je ne suis pas encore sourd... gronda Abzagal par télépathie, tout en se posant sur les dalles immaculées.

Malgré son corps imposant, tout en muscles et en nerfs, le Dragon n'était pas dénué d'une certaine élégance que Luna ne put s'empêcher d'admirer. Elle le regarda replier ses ailes et se lança :

— J'ai une bonne et une mauvaise nouvelle! commença-t-elle.

— Hum... J'ai une sainte horreur des mauvaises nouvelles, grommela Abzagal en fronçant son mufle glacé. Alors... commence par la bonne!

— J'ai réussi la quête que vous m'aviez confiée! Voici la couronne de Lloth! annonça Luna, brandissant victorieusement le précieux artefact sous le nez du dieu.

Abzagal regarda la couronne étinceler, comme hypnotisé par son éclat et sa beauté. Luna, qui guettait sa réaction en silence, crut lire dans les yeux du Dragon une lueur de fierté ou d'orgueil... elle n'aurait trop su dire.

Le dieu Dragon tendit alors une patte à la griffe impressionnante en direction de l'adolescente. Luna surmonta sa crainte et déposa la couronne autour. Celle-ci lui sembla soudain ridiculement petite.

— J'en connais quelques-uns qui seront tellement heureux de retrouver leur Pierre de

Vie qu'ils vont me manger dans le creux de la main... ricana le dieu en se rengorgeant.

Luna cessa de sourire.

— Je croyais que vous deviez la leur rendre? fit-elle, contrariée.

— Effectivement, c'est ce que je vais faire... Une promesse est une promesse. Mais toute peine mérite salaire! Je suis sûr que mes chers amis seront prêts à m'offrir beaucoup en échange de leur gloire passée.

— Eh bien, appelez ça comme vous voulez, mais pour moi, c'est encore du chantage. Décidément, vous êtes incorrigible!

Abzagal jeta un regard courroucé au microbe qui lui faisait la leçon. Maintenant qu'il avait la couronne, rien ne l'empêchait d'ouvrir la gueule et de croquer l'insolente, mais contre toute attente, il n'en fit rien. Cette singulière mortelle l'amusait terriblement.

— C'est du bon travail, Sylnodel! Félicitations... Allez, profite du fait que je suis de bonne humeur pour m'annoncer cette mauvaise nouvelle dont tu parlais. Mais fais vite, car tu sais à quel point je les déteste, les hais, les abhorre, les exècre, les...

— Je crois que la Pierre de Vie de Lloth n'est pas sertie dans la couronne! le coupa alors Luna, agacée par les interminables élucubrations lexicales du Dragon. Je n'ai compté que huit joyaux, mais aucune pierre noire. Ce qui veut dire qu'il ne manquait plus que la vôtre pour que la déesse Araignée devienne votre reine.

— Ouf, tu es intervenue à temps... fit Abzagal en hochant la tête. Et c'est ça, ta mauvaise nouvelle? ajouta-t-il, surpris.

— Ben oui, cornedrouille! Car si vous ne possédez pas le Joyau de l'Ombre, comment allez-vous faire pour libérer ma sœur? Je vous rappelle que vous deviez l'échanger contre sa vie...

Le Dragon plissa le front, comme en proie à une vive agitation intérieure. Luna, qui l'observait, le cœur battant, aurait donné cher pour lire le fond de ses pensées. Quand la voix du dieu résonna enfin dans sa tête, celui-ci semblait avoir perdu toute aménité.

— Tu ne m'as pas dit toute la vérité, petite cachottière!

Luna sursauta.

— Plutôt que de me faire confiance et de chercher le joyau comme tu aurais dû le faire, tu as préféré tenter de délivrer ta sœur toute seule, n'est-ce pas? Et Lloth t'est tombée dessus! Tu n'avais aucune chance de réussir et pourtant... Tu as opté pour une stratégie très audacieuse, qui aurait pu s'avérer fatale sans l'aide précieuse des anges.

Tu sais, ces petites lucioles argentées qui veillent sur les mortels et que nous appelons parfois...

L'adolescente n'en revenait pas. Comment Abzagal pouvait-il être au courant?

— Alors que si tu étais retournée sur tes pas, dans la salle du trône, tu aurais trouvé cette fameuse obsidienne! conclut le Dragon d'un air contrarié.

Le souvenir du dossier à l'effigie de la déesse frappa soudain Luna. Le corps de l'Araignée... La Pierre de Vie de Lloth!

De dépit, Luna se mordit la lèvre jusqu'au sang.

— Eh bien, Sylnodel, reprit le dieu Dragon, à mon tour de t'annoncer deux nouvelles. Une bonne et une mauvaise...

L'adolescente se crispa. Les choses prenaient une très mauvaise tournure à son goût.

— Une fois n'est pas coutume, je vais commencer par la mauvaise afin de m'en débarrasser au plus vite. C'est simple : comme tu n'as pas accompli une part de ton marché, je n'accomplirai pas non plus une part du mien. Je ne délivrerai pas ta sœur. Désolé! Toutefois, je t'avais promis de te renvoyer dans ton monde... et c'est ma bonne nouvelle : je vais t'ouvrir un chemin vers Laltharils! Tu pourras retrouver les tiens. N'est-ce pas formidable, époustouflant, extraor... Oh, mais tu pleures? De joie, j'espère!

— Vous m'avez trahie! l'accusa Luna, les yeux baignés de larmes. Je vous faisais confiance! Je sais que j'aurais dû trouver cette pierre, mais je suis tombée par hasard sur ma sœur, emmaillotée dans un horrible cocon. Elle était déjà à moitié morte. Je ne pouvais pas la laisser agoniser plus longtemps. Vous autres, dieux, vous ignorez ce qu'est la mort! Mais moi je sais! J'ai perdu trop d'êtres chers pour laisser mourir ma propre sœur. Il fallait que je la sauve, cornedrouille! Or, je ne l'ai pas fait... pour *vous* ramener cette couronne! Pour *vous* sauver de la domination de cette repoussante créature. Pour *vous*, j'ai abandonné Sylnor à son triste sort. Mais je ne recommencerai pas deux fois la même erreur. Vous pouvez le garder, votre *chemin*. Je n'en veux pas! Je retourne dans l'antre de Lloth, pour terminer ce que j'avais entrepris, pour libérer Sylnor! Adieu, Abzagal!

Sans attendre de réponse, Luna tourna les talons, glissa à travers le portail et s'enfuit sous la pluie de flocons tourbillonnants.

Abzagal la regarda franchir le voile protecteur de sa sphère.

Il n'avait pas fait un seul geste pour la retenir et il savait déjà qu'il le regretterait amèrement.

Les dieux étaient certes immortels, mais leurs remords étaient, eux aussi, éternels.

17

La chambre était spacieuse et joliment meublée. Des tapis soyeux ainsi que des tentures de velours donnaient à l'ensemble une note colorée et chaleureuse. Un feu crépitait doucement dans l'âtre.

Halfar, étendu sur un dessus de lit pourpre, somnolait, les bras croisés derrière la tête. Son esprit vagabondait au gré de ses souvenirs. Les bons comme les mauvais.

Voilà presque cinq semaines qu'il patientait dans sa prison dorée.

Au début, lorsque les drows l'avaient capturé, puis jeté dans un cachot sordide, Halfar avait hurlé, tambouriné à la porte, frappé des poings contre les murs jusqu'à en avoir les phalanges en sang. Il avait même essayé de mettre le feu à sa paillasse.

Mais ici, sa magie semblait complètement inopérante.

Alors, il avait pleuré, gémi, supplié qu'on lui rende Elbion, qu'on vienne le délivrer, qu'on le laisse partir chercher Luna.

En vain.

Personne n'était venu.

Halfar avait alors sombré dans un profond mutisme, refusant même de s'alimenter. Cela avait duré trois jours. Trois jours de désespoir, d'abstinence, de refus de vivre. Puis n'y tenant plus, il avait fini par se jeter sur sa gamelle, dévorant le ragoût qu'on lui servait quotidiennement. Il venait de se rendre compte que cela ne servait à rien de se laisser mourir, que ce n'était pas ainsi qu'il retrouverait Luna... Alors, doucement, il avait refait surface. Il avait décidé de comprendre pourquoi il était là et ce qu'on attendait de lui, car à Rhasgarrok, tout ce qui était inutile était éliminé sur-le-champ. Or il était encore vivant.

Puis un matin, une grosse matrone drow lui avait rendu visite.

— Salut, mon petit chou, avait-elle ronronné avec un sourire enjôleur. Ça y est, tu as enfin décidé de te montrer raisonnable? Tu as mis le temps, mais c'est bien... Je m'appelle Isadora et si tu coopères sagement, je vais faire de toi le plus heureux des garçons...

Halfar en était resté interdit.

— Vous... vous allez me libérer? s'était-il étonné. Il faut absolument que je retrouve ma cousine!

— Hein? Qu'est-ce que tu me racontes? Je te parle de gloire, de pouvoir, de reconnaissance. Je te parle de richesses et d'or qui coulent à flots et toi... tu me parles de ta cousine?

— Elle a été enlevée par une drow et je suis à sa recherche. Elle s'appelle Luna et...

— Mais on s'en contrefiche de savoir comment elle s'appelle! avait tranché la matriarche, les deux poings serrés sur ses hanches rondes. Oublie-la une bonne fois pour toutes! D'ailleurs, elle est probablement déjà morte à l'heure qu'il est, alors tu ferais mieux de te concentrer sur l'avenir, petit gars!

Halfar était alors entré dans une rage folle. Il avait sauté au cou de la femme pour tenter de l'étrangler, mais une force mystérieuse l'avait plaqué contre le mur de sa cellule. Isadora lui avait jeté un regard courroucé avant de s'en aller.

À partir de ce jour, la matrone était venue lui rendre visite très régulièrement. Si, au début, Halfar refusait catégoriquement de l'écouter, petit à petit, bercé par ses douces paroles, ses offres alléchantes, ses rêves de fortune et de gloire, le garçon avait fini par lui prêter une oreille attentive. Les talents de persuasion d'Isadora étaient extrêmement puissants. À la fin de la deuxième semaine, Halfar en avait oublié jusqu'au nom de sa très chère cousine.

Sentant que son jeune prisonnier était prêt mentalement, la drow le fit conduire dans un luxueux appartement.

— Voilà où tu vivras désormais... Ça te plaît? s'était enquise Isadora. Tant que tu travailleras pour moi, tu vivras dans l'opulence et verras ta réputation grandir de semaine en semaine. La seule chose que tu auras à faire sera de te battre du mieux que tu pourras... pour me faire honneur!

— En quoi consistent ces combats, exactement? avait seulement demandé Halfar, promenant des yeux émerveillés dans le riche salon.

— Les affrontements ont lieu une fois par semaine dans les arènes pour jeunes. Vous serez une dizaine dans la fosse. Tous les coups sont permis, sauf de tuer ses adversaires. Si l'un des gladiateurs blesse mortellement un autre combattant, il est immédiatement éliminé. Ce qu'il faut, c'est blesser suffisamment ses adversaires pour qu'ils ne se relèvent pas. En frappant aux jambes ou aux bras, par exemple. Si, à l'issue du combat, tu restes le seul debout, la foule se lèvera pour t'acclamer. Depuis quelques années, les drows se passionnent pour ce genre de spectacle. Tu deviendras leur nouveau héros. Moi, de mon côté, je raflerai toutes les mises. Je deviendrai extrêmement riche et te ferai largement bénéficier de ma générosité.

Sceptique, Halfar avait braqué son regard dans celui de la drow.

— Pourquoi moi?

— Parce que tu es déjà solidement bâti pour ton âge. En plus, tu es plutôt beau gosse! Par ailleurs, dans ton regard brille une flamme de haine que j'adore... Je sens que tu vas aimer te battre, faire gicler le sang sur le sable, et que tu es suffisamment agile et intelligent pour esquiver les coups des autres. Mais pour devenir mon champion, tu devras t'entraîner dur. Ce sont mes fils, ceux qui t'ont capturé, qui vont te préparer. Il fut un temps où ils régnaient en maîtres dans ces arènes pour jeunes. Ils sont trop vieux désormais pour ce genre de jeux, mais ils connaissent toutes les ficelles du métier. Écoute-les, suis leurs conseils, bats-toi jour et nuit, et lorsque tu seras prêt, tu deviendras le roi des arènes. Adulé par des admirateurs qui ne jureront que par toi!

La grosse femme lui avait ensuite montré sa nouvelle chambre, sa nouvelle armure, rutilante, son nouveau sabre, plus tranchant qu'un rasoir, son nouveau casque, orné de motifs arachnéens.

Il n'en avait pas fallu davantage pour finir de convaincre le garçon.

Allongé sur son lit moelleux, Halfar rongeait son frein. Il ne pouvait s'empêcher de songer à son père indigne qui n'avait jamais cru en lui, qui lui avait toujours préféré son frère aîné. Ce maudit Darkhan! Prétentieux et imbu de sa personne, méprisant les autres et les écrasant de sa morgue pleine de suffisance et de mépris. Halfar serra les poings à s'en faire blanchir les jointures. Plus que jamais, il haïssait son frère, maudissait son père et même son grand-père! Ce patriarche, fier et hautain, qui ne lui avait jamais témoigné d'affection.

Seule sa mère, la douce Amaélys, l'avait entouré autrefois d'amour. Mais elle n'était plus. La mort avait fauché trop tôt la seule personne qui l'avait vraiment aimé.

Aujourd'hui, le cœur d'Halfar bouillonnait de rancune, de rage et de haine.

Il allait enfin prendre sa revanche...

Sa revanche sur tous ceux qui le considéraient comme un minable.

Après trois semaines d'entraînement acharné, de coups encaissés sans broncher, de courbatures, de victoires aussi, Halfar sentait la puissance palpiter dans ses veines.

Il était enfin prêt à se battre. À tailler, à couper, à trancher. À faire couler le sang.

Le garçon attendait avec impatience le moment où il entrerait dans l'arène pour la toute première fois... Lorsqu'il en ressortirait, il serait un héros.

Un véritable héros!

Son cerveau ne conservait plus aucune trace de sa noble quête.

Luna avait définitivement quitté son esprit.

Elbion aussi...

Pourtant, à plusieurs kilomètres de là, dans un conduit d'évacuation, se traînait une pauvre bête. Son pelage d'un blanc sale était strié de longues balafres sanguinolentes. Sur ses flancs amaigris, d'épaisses croûtes brunâtres suintaient de pus épais. L'animal, sans doute un loup, errait depuis plusieurs semaines dans les égouts de Rhasgarrok, en claudiquant, s'arrêtant seulement pour laper l'eau croupie de flaques malodorantes.

On aurait pu croire que ses heures étaient comptées...

Pourtant, un souvenir flottait encore devant ses yeux clairs.

L'odeur d'une elfe au sourire d'ange le guidait dans les méandres souterrains de la cité maudite.

18

Le chemin de papier immaculé défilait sous ses pieds, mais Luna, aveuglée par les larmes, ne semblait même pas le voir. Au milieu de l'immensité d'azur, elle courait pour fuir les reproches injustifiés d'Abzagal autant que pour échapper à son impardonnable trahison.

Elle courait également pour oublier son offre alléchante...

Et dire qu'au lieu de foncer tête baissée dans l'antre de Lloth, Luna aurait pu être en sécurité sur le chemin du retour. Le Dragon lui avait proposé de la ramener chez elle, à Laltharils...

C'était terriblement tentant mais affreusement lâche.

Luna aurait pu écouter sa raison, s'estimer heureuse d'avoir miraculeusement échappé à la fureur de Lloth une première fois et ne surtout pas retenter la tragique expérience. Mais l'adolescente avait laissé parler son cœur et refusé de laisser Sylnor entre les griffes de la déesse Araignée.

Pourtant, c'était de la folie!

Jamais la déesse ne lui pardonnerait d'avoir dérobé sa couronne, d'avoir annihilé ses rêves de domination suprême. Jamais elle ne laisserait partir Sylnor. Peut-être même l'avait-elle déjà tuée...

Luna courait au suicide. Pourtant, rien n'aurait pu l'arrêter.

Sa décision était irrévocable : elle rentrerait à Laltharils avec Sylnor.

Ou elle ne rentrerait pas.

Elle se sentait prête à mourir, convaincue que sa petite sœur méritait une seconde chance. Peut-être que, coupée de son univers cauchemardesque, entourée de sa vraie famille, bercée par l'amour d'Ambrethil, Sylnor redeviendrait une fille normale. Même si les probabilités de réussir cette métamorphose étaient infimes, cela valait le coup d'essayer.

Dès que Luna aperçut la sphère de la déesse Araignée, un ovale presque parfait enveloppant la gigantesque tour, son cœur se mit à tambouriner dans sa poitrine. Elle ralentit sa course. Cela ne servait à rien de débarquer là-bas sans un plan, sans une idée mûrement réfléchie... Elle se voyait mal arriver dans le vaste hall en hurlant, comme elle l'avait fait chez Abzagal : « Youhou, Lloth! C'est moi! Je suis de retour! »

Luna devait trouver quelque chose, un moyen de faire plier la déesse. Une sorte de chantage, quoi! Après tout, c'était l'arme préférée des dieux. Pourquoi ne pas s'en servir à leurs dépens?

Et si...

Luna eut soudain un éclair de génie!

Et si elle retournait dans la salle du trône pour dérober l'obsidienne... Lloth serait sûrement prête à tout pour récupérer sa Pierre de Vie, même à échanger Sylnor! Oui! Ça, c'était une bonne idée! En plus, Luna se rappelait assez bien le chemin. Et grâce au pouvoir du Dragon, elle aurait vite fait d'accéder au trône.

Luna prit une grande inspiration. Elle avait beau être une mortelle, une adolescente de surcroît, elle se sentait de taille à affronter la redoutable Lloth dans son antre. D'un bond, l'elfe traversa la paroi translucide de la sphère, jaillit dans la lande, s'élança sur le sentier et franchit l'immense porte de la tour.

Les ténèbres qui l'accueillirent lui semblèrent encore plus profondes, plus sombres et plus maléfiques que la dernière fois. Peut-être à cause du contraste avec la lumière étincelante du palais d'Abzagal... Luna frissonna, mais ne recula pas.

Comme lors de sa précédente incursion dans l'obscurité absolue de la tour, Luna avança pas à pas, très lentement, cherchant du bout des pieds l'escalier monumental. Toutefois, après plusieurs minutes d'errance aveugle, elle n'avait décelé aucune marche susceptible de la guider.

Un horrible pressentiment l'assaillit. Quelque chose n'était pas normal...

Pourtant, Luna refusa de faire demi-tour. Elle devait continuer tout droit, coûte que coûte, car faire demi-tour, c'était prendre le risque de se perdre et d'errer de longues heures dans ce linceul infini.

À tâtons, Luna défiait les ténèbres et chaque pas l'entraînait un peu plus profondément dans le domaine de la déesse. Le silence était absolu. Pas un seul bruit ni souffle de vie ne venait troubler la quiétude sépulcrale de l'endroit.

Ce que redoutait Luna, c'était de tomber dans un gouffre invisible qui s'ouvrirait brusquement devant elle comme une mâchoire béante, prête à l'engloutir. Mais ce qu'elle craignait par-dessus tout, c'était de sentir les griffes acérées de Lloth s'enfoncer dans son corps sans qu'elle ait eu le temps de l'entendre – ou de la sentir – arriver.

Or, si jamais Lloth la capturait avant qu'elle ait eu le temps de récupérer l'obsidienne, sa vie ne serait plus qu'une longue plainte de douleur déchirant la nuit.

Luna se crispa, essayant de ne plus y penser, et poursuivit sa progression à l'aveugle. Elle avait maintenant l'impression de marcher depuis plusieurs heures, mais c'était impossible. La tour, aussi immense soit-elle, ne mesurait certainement pas des kilomètres! Il s'agissait sûrement d'un enchantement démoniaque destiné à retenir les intrus, à les faire tourner en rond indéfiniment... Pourtant, Luna marchait tout droit!

Soudain, l'adolescente eut une horrible certitude : elle faisait du sur-place!

Elle s'immobilisa, désespérée.

C'était sacrément diabolique! Malgré l'espace infini qui s'ouvrait tout autour d'elle, Luna était prisonnière des ténèbres. Une prison sans murs, sans barreaux, sans verrou. Une prison à laquelle son immatérialité ne lui permettait pas d'échapper... Bientôt, Lloth s'apercevrait de sa présence et viendrait cueillir sa proie pour la savourer comme un fruit bien mûr.

Il ne restait plus qu'une seule solution à Luna pour déjouer le maléfice. Utiliser la télékinésie pour se rapprocher d'un mur tout en devenant immatérielle au dernier moment pour ne pas s'écraser dessus. Luna se concentra, banda son esprit vers l'infini obscur et se sentit aussitôt transportée en avant à une vitesse phénoménale. Elle était comme happée par les ténèbres. Son corps gracile traversa un mur, épais, froid et dense. Du granit, certainement. Et elle se retrouva propulsée au milieu d'une pièce faiblement éclairée.

Luna, légèrement sonnée, se releva et regarda autour d'elle.

Ce n'était pas *une pièce*, mais l'immense hall où elle avait rencontré Lloth la toute première fois. L'escalier hélicoïdal, alors invisible, était cette fois parfaitement visible, avec ses marches phosphorescentes qui balisaient la vertigineuse montée. Tel un serpent gigantesque, l'escalier s'étirait jusqu'en haut de la tour pour se perdre dans l'ombre. Mais ce n'était pas la seule source de lumière...

Immédiatement, le regard de Luna fut attiré à l'opposé de l'escalier. Elle frémit en découvrant le trône de la déesse, transcendé par un rai de lumière blafarde.

Au centre du dossier brillait la Pierre de Vie de Lloth.

Luna s'arrêta, tétanisée.

C'était un piège!

Désormais, le doute n'était plus permis : la déesse savait que son ennemie était là! Pire,

Lloth l'attendait, sournoisement tapie dans l'ombre. Elle exhibait même son trône pour la narguer.

Une vague de peur submergea Luna, s'insinuant dans ses veines comme une encre noire et visqueuse, se déversant dans son esprit comme un torrent tumultueux. Luna était sûre que son cœur allait lâcher quand une voix surgie d'outre-tombe la foudroya.

— Je savais que tu reviendrais, Sylnodel, que tu n'aurais pas le courage d'abandonner ta sœur...

Un rire glacial envahit alors les ténèbres.

— Sylnor, *elle*, n'aurait jamais commis cette grossière erreur. Malgré le sang argenté qui coule dans ses veines, ta sœur est une drow, une *vraie* drow. Son cœur est gorgé de haine. Son âme est d'une noirceur absolue. Elle est faite pour la vengeance et le meurtre.

Luna bouillonnait de rage, fouillant l'obscurité du regard pour déterminer où se trouvait la déesse. Mais la voix semblait venir de partout à la fois. Les paroles de Lloth étaient infâmes, insidieuses, mais elle parlait de Sylnor au présent. L'espoir était encore permis.

— Tu comptais voler ma Pierre de Vie et t'en servir pour récupérer Sylnor, n'est-ce pas? Pauvre gamine, tellement naïve, tellement stupide! Tu n'as pas encore compris que ta sœur te hait au plus profond de ses entrailles? Me croirais-tu si je t'apprenais que c'est *elle* qui a eu l'idée du cocon pour te contraindre à te rendre chez Abzagal? Elle savait que tu serais suffisamment faible pour accepter le chantage. Et... lorsque tu as commencé à la libérer de sa gangue de soie, n'as-tu pas trouvé étrange qu'elle prononce ton nom, ce qu'elle avait toujours refusé de faire? C'était uniquement pour m'alerter!

— C'est faux! s'écria Luna. Sylnor allait mourir étouffée. Elle m'a suppliée de la libérer et si vous n'étiez pas intervenue, je me serais enfuie avec elle. Abzagal nous aurait ouvert un chemin vers Laltharils et...

— Vers *Laltharils*? pouffa la déesse. Tu plaisantes? Abzagal s'est bien moqué de toi, on dirait! Je t'avais pourtant prévenue qu'il était perfide et sournois... Car *un seul chemin* unit la divinité au peuple qui la vénère. Et le chemin du Dragon t'aurait menée droit dans la cité des avariels, pas dans celle des elfes de lune!

Luna, déboussolée, serra les poings. Se pouvait-il que le Dragon l'ait effectivement dupée? Mais Lloth continuait déjà et son ton s'était durci.

— Je suppose que tu lui as remis la couronne... parce qu'il t'a dit qu'il allait rendre les Pierres de Vie à leurs propriétaires... Et toi, tu l'as cru? *Pauvre gourde!* hurla Lloth en détachant chaque syllabe. Abzagal ne rêve que de pouvoir et de domination, comme tous les dragons! Ils se prétendent supérieurs, intelligents, d'une sagesse infinie, mais leur fourberie n'a aucune limite. Ne comprends-tu pas qu'il s'est joué de toi?

— Non! cria Luna. Je ne vous crois pas!

— Tu veux une preuve? rétorqua la déesse. Ne t'a-t-il pas demandé de lui ramener ma *propre* Pierre? Il la voulait, bien sûr... afin de réunir les dix Joyaux et devenir le roi des dieux. Il y a fort à parier que dans peu de temps, Abzagal sera le plus puissant dieu que le monde n'ait jamais connu! Un dieu absolu, éclipsant tous les autres dans le cœur des fidèles, écrasant les peuples sous des dogmes contraignants, étouffant leur ferveur dans une doctrine aliénante! Tu as fait une très grave erreur en lui remettant MA couronne. Et tu vas le payer très cher... Mais avant de te tuer, je voudrais te parler de ta sœur...

— De ma sœur... répéta Luna, hébétée. Où... où est-elle?

— Je l'ai renvoyée à Rhasgarrok! Tu vois, je sais récompenser ceux qui me servent loyalement. Certes, notre plan machiavélique a échoué... Mais j'ai de grands projets pour elle, de *très grands* projets! Et je te jure que les elfes de la surface n'ont pas fini de trembler devant ma grandeur et ma puissance. Bientôt, le seul nom de Sylnor les fera frémir d'horreur! Elle va d'abord accomplir l'Oracle de Matrone Zesstra... Puis ses prochaines victimes seront... sa tendre famille! Sa chère petite maman qui l'a lâchement abandonnée crèvera bientôt en hurlant comme une truie qu'on égorge!

Un rire sardonique explosa dans les ténèbres.

Luna était arrivée trop tard. Et si elle ne s'échappait pas maintenant, si elle ne retournait pas vite à Laltharils, sa sœur massacrerait bientôt les siens sans pitié.

L'adolescente, écœurée par tout ce qu'elle venait d'entendre, décida qu'il était temps de disparaître dans le sol, mais... la matière refusa de s'ouvrir sous ses pieds! Luna essaya de se déplacer et se rendit compte avec angoisse qu'elle était paralysée! Impossible de faire le moindre geste. Elle tenta de s'échapper en utilisant de nouveau la télékinésie, mais son corps ne bougea pas d'un millimètre.

Une terreur sourde s'empara d'elle.

— Non, Sylnodel, tu ne m'échapperas pas. Pas cette fois. Lors de notre dernière rencontre, tu m'as prise au dépourvu et cela m'a fort irritée, j'en conviens. Cependant, j'ai trouvé la parade en utilisant un lien psychique agissant non pas sur ton corps immatériel, ni sur ton cerveau, mais sur ton *âme*! Grâce à la magie noire, j'ai immobilisé ton *esprit*! Les ordres qu'il donne à ton misérable corps de mortelle sont inopérants. Plus de mouvement, plus de sort, plus de parole, plus rien!

Luna aurait voulu crier, mais son esprit refusa de le faire. C'était comme si elle n'avait plus aucune emprise sur son corps.

— Tu paniques, n'est-ce pas? Je sens ton esprit qui s'emballe, qui s'échauffe. C'est bon... J'adore percevoir ces ondes d'angoisse qui précèdent la mise à mort. C'est toujours pour moi une intense délectation. Mes poils s'en hérissent de plaisir...

La déesse Araignée sortit alors de l'ombre où elle se dissimulait depuis le début de la conversation pour se planter devant les yeux horrifiés de l'adolescente.

— J'aime ce regard où se mêlent la haine, la peur, la résignation, la colère, l'impuissance, le désespoir et...

Un grondement assourdissant l'empêcha de continuer.

Lloth sursauta et tendit l'oreille.

Le sol se mit à trembler.

Une secousse d'une violence terrible fit vibrer l'ensemble de la tour pendant qu'un rugissement monstrueux résonnait dans les entrailles de l'édifice.

— Qu'est-ce que... balbutia Lloth, prise de panique.

Un deuxième choc, encore plus effroyable que le premier, secoua le sol, qui se déchira par endroits, ouvrant de larges balafres dans le granit déchiqueté. La déesse manqua de glisser et retrouva son équilibre de justesse.

Luna, quant à elle, n'avait d'autre possibilité que d'assister, immobile, au chaos indescriptible qui s'opérait devant ses yeux incrédules.

Soudain, dans un gigantesque fracas, une vague de lumière éblouissante déferla sur les ténèbres, noyant l'obscurité sous des tonnes de soleil. L'un des murs de la tour venait de s'effondrer.

Luna, aveuglée, aurait voulu fermer les yeux, mais son esprit refusait toujours d'obéir.

Ce qu'elle vit alors fit bondir son cœur de joie.

L'énorme, l'immense, le redoutable Abzagal venait d'atterrir devant la déesse Araignée. Avec ses ailes déployées, ses griffes menaçantes, sa gueule grande ouverte laissant échapper un souffle glacé, le Dragon semblait indestructible. De toute la hauteur de son corps aux écailles de givre, il dominait Lloth, qui paraissait soudain ridiculement petite et vulnérable.

Luna n'en revenait pas... Elle avait cru comprendre que les dieux ne pouvaient pas se

déplacer et encore moins sortir de leur sphère...
Par quel prodige Abzagal y était-il parvenu?

— Comment as-tu osé? hurla Lloth, que
la fureur rendait hystérique. Tu as détruit ma
tour! En plus, la Règle t'interdit d'être ici. Tu es
chez moi!

L'Araignée écumait de rage, mais le Dragon, nullement intimidé, garda son flegme et
répondit par télépathie :

— Eh bien, vois-tu, fit-il d'un ton désabusé,
la Règle t'interdit également de tuer des mortels. Or... j'ai bien l'impression que c'est ce que
tu t'apprêtais à faire. Ainsi donc, nous sommes
tous les deux... hors-la-Règle! Par ailleurs, tu
possèdes quelque chose que je désire ardem-
ment... et, comme on n'est jamais aussi bien
servi que par soi-même (il jeta un coup d'œil
méprisant à Luna, qui blêmit, mortifiée), je
suis venu le prendre moi-même!

— Ma couronne ne te suffit pas? s'offusqua
Lloth. C'est ma Pierre de Vie que tu désires,
n'est-ce pas? Tu croyais vraiment que ce
misérable microbe serait de taille à m'affronter, à me voler mon Joyau? Tu es pathétique,
Abzagal!

— Je te rappelle que c'est *toi* qui me l'as
envoyée la première afin de récupérer *mon*
Joyau de Glace. Alors, je suis en droit de
me demander qui de nous deux est le plus

pathétique, le plus manipulateur, le plus perfide, le plus...

— SUFFIT! rugit la déesse. Tu n'auras *jamais* mon obsidienne sacrée, tu ne seras *jamais* le roi des dieux, et ta puissance ne sera *jamais* aussi grande que la mienne! Je te hais, Abzagal! Et tu vas payer très cher ton intrusion dans mon antre! grinça-t-elle en frottant ses deux pattes antérieures l'une contre l'autre.

À peine Lloth avait-elle fini de hurler qu'un nuage de fumée noire se matérialisa entre ses pattes et fusa en direction du dieu Dragon. Celui-ci gronda et, d'un coup de queue formidable, renvoya le sort en direction de la sorcière. La déesse, qui murmurait déjà entre ses dents une seconde incantation maléfique, bondit sur le côté pour éviter le projectile et propulsa une nuée ardente vers son adversaire. Faisant preuve d'une souplesse étonnante pour sa corpulence, Abzagal se baissa et en profita pour souffler un jet de glace vers l'Araignée.

Luna assistait, médusée, à ce combat titanesque.

Sentant que le lien psychique qui paralysait son esprit se délitait de seconde en seconde, l'adolescente en profita pour reprendre le contrôle de son corps et recula lentement. Apparemment, Abzagal n'était pas venu pour la sauver comme elle l'avait tout d'abord espéré...

alors inutile de s'attarder ici. Du moment qu'elle arrivait à fuir, l'issue du duel lui était bien égale. D'une simple pensée, elle redevint immatérielle et s'enfonça sans un bruit dans l'épaisseur du sol.

Tout se déroula alors très vite.

La vague de glace projetée par le Dragon s'écrasa au sol, se répandant comme un raz-de-marée. Lloth s'écarta, mais pas suffisamment. Cinq de ses huit pattes se figèrent, prisonnières de la gangue cristalline. Hurlant de rage, La déesse étira ses deux pattes antérieures comme des tentacules et les enfonça dans les profondeurs du sol.

Abzagal, qui n'avait pas encore remarqué la fuite de Luna, regarda la manœuvre de son ennemie d'un œil perplexe.

Alors que Luna chutait au cœur de la matière, elle sentit deux pinces d'acier lui broyer les épaules et la ramener en direction de la surface. Malgré la douleur insupportable, l'adolescente chercha à se dégager. En vain.

Lorsque Luna jaillit hors du sol, l'Araignée l'attira contre son corps cuirassé et l'étreignit comme pour un mortel baiser, l'une de ses griffes acérées pointées vers la gorge offerte de l'elfe. Le lien psychique s'était également refermé sur Luna et broyait son esprit comme un étau métallique.

Le Dragon, qui s'apprêtait à lancer une seconde attaque, se figea aussitôt, crispant imperceptiblement sa mâchoire.

Les yeux écarlates de Lloth se mirent alors à brûler de haine. Elle tenait enfin sa revanche. La mort de cette affreuse gamine ne serait pas aussi longue et pleine d'agonie qu'elle l'aurait souhaité, mais elle lui offrirait quand même une jouissance suprême.

— Abzagal! prévint-elle. Si tu ne t'en vas pas tout de suite, je la tue, maintenant, sous tes yeux!

Le dieu eut un terrible moment de doute.

Finalement, il se rengorgea et demanda, d'une voix sereine :

— À quoi bon partir, puisque tu la tueras de toute façon?

La déesse crut qu'elle allait exploser de rage.

L'extrémité de sa griffe, aiguisée comme une lame de rasoir, effleura la peau de Luna.

Un filet de sang carmin glissa sur le cou d'albâtre de l'adolescente.

19

L'anéantissement de l'île du Marécageux avait bouleversé Darkhan. Il avait aussitôt pensé à Luna et à sa peine lorsqu'il lui révélerait la catastrophe.

Sans échanger un mot, la petite troupe se remit en route vers l'est, en direction de Rhasgarrok. Les guerriers marchèrent pendant presque deux jours dans la galerie, s'enfonçant toujours plus profondément dans les entrailles de la Terre.

Sarkor respecta le silence de Darkhan. Il savait qu'aucune parole ne pourrait apaiser son fils. Les exactions commises par les drows faisaient souvent cet effet-là... En fait, il comprenait sa déception, son chagrin. Il partageait également sa colère et sa haine.

Dans ses veines d'elfe noir bouillonnait une farouche envie de se venger. Il aurait voulu tomber sur une patrouille de guerrières drows pour pouvoir en faire de la charpie, pour les tailler en pièces, pour ne laisser de leurs corps qu'une immonde bouillie écarlate.

Il aurait voulu... mais il ne l'aurait pas fait.

Sarkor avait beau être le fils de la sanguinaire Matrone Zesstra, il n'était plus un drow depuis longtemps! S'il cédait maintenant à ses vils instincts, toutes ses années d'exil n'auraient servi à rien! Sarkor n'avait plus le droit de se comporter comme un elfe noir... Il devait au contraire réprimer ses pulsions meurtrières.

Se battre en duel pour sauver sa vie, certes.

Mais massacrer et tuer pour le plaisir, plus jamais!

Peu à peu, à force de kilomètres parcourus, la haine de Sarkor s'atténua, tout comme le désespoir de Darkhan. Le père et le fils avaient plus urgent à faire que de ressasser leurs idées noires. Maintenant qu'ils approchaient de Rhasgarrok, ils devaient réfléchir à la suite des opérations.

Arrivée à un carrefour qui se divisait en trois directions, la petite troupe s'arrêta pour faire le point. Après maintes tergiversations, Sarkor et Darkhan finirent par imposer leur idée, au grand dam de leurs amis elfes argentés, à qui ils ne laissèrent pas le choix.

Après s'être scindés en deux groupes, les douze guerriers unirent leurs esprits, faisant appel à leur énergie mentale pour provoquer l'effondrement d'une partie de la galerie, juste avant l'embranchement.

Grâce à l'énergie de leurs volontés réunies, les parois latérales explosèrent, le plafond s'écroula sur plusieurs dizaines de mètres, déversant des tonnes de blocs de roche là où se trouvait, seulement quelques secondes auparavant, un solide tunnel.

Côté ouest, les dix elfes argentés retourneraient le cœur lourd à Aman'Thyr. Ils avaient promis de poursuivre leur œuvre destructrice afin que cette galerie maudite ne reste qu'un mauvais souvenir.

Côté est se retrouvèrent, seuls, Sarkor et Darkhan.

Les deux elfes à la peau noire comptaient bien utiliser cet atout pour retrouver le Marécageux – s'il était encore en vie – et essayer d'en savoir plus sur les projets d'invasion de la grande prêtresse. Si Laltharils courait un danger, c'était le moment ou jamais de l'apprendre et, qui sait, de contrer les plans de Matrone Zesstra.

Après l'éboulement de la galerie, les deux hommes hésitèrent sur la direction à prendre.

Darkhan se souvenait être arrivé par le tunnel de gauche, lorsqu'il était remonté de la demeure d'Elkantar en compagnie d'Ambrethil, de Luna et du Marécageux. Or la maison de l'ancien Invocateur se situait dans le quartier ultra sécurisé des nobles. Et c'était là-bas que Sarkor souhaitait se rendre.

Là-bas, au cœur de Rhasgarrok.

Dans le Monastère de Lloth où il avait grandi.

Avec un peu de chance, il existait une galerie qui les conduirait directement dans le repaire de Matrone Zesstra, à l'endroit précis d'où les troupes de guerrières étaient parties. Il était très probable, en effet, que l'armée de la grande prêtresse soit passée directement par le Monastère pour plus de discrétion. Des mouvements militaires en ville auraient immanquablement attiré l'attention de dizaines d'espions qui se seraient fait un plaisir de vendre ces informations aux plus offrants.

Au fil de leur progression, les tunnels se ramifiaient et, chaque fois, Sarkor choisissait la voie, se laissant guider par son instinct. Pourtant, sa tension était palpable.

Voilà plusieurs décennies que l'elfe noir n'était pas retourné dans sa cité natale. Néanmoins, aucune nostalgie n'étreignait son cœur. Son enfance et son adolescence avaient été les pires périodes de sa vie. Des années marquées par la soumission, par la domination absolue d'une mère despotique, par la souffrance physique et morale qu'on lui avait d'abord imposée avant de le forcer à commettre à son tour les pires atrocités.

Sarkor croyait toutes ces horreurs profondément enfouies au fin fond de son cerveau, enfin, suffisamment pour ne jamais refaire surface... mais la proximité de Rhasgarrok faisait resurgir ces pénibles souvenirs.

— Tout va bien? s'enquit Darkhan en voyant Sarkor blêmir à vue d'œil.

L'homme se contenta de hocher la tête avant de murmurer, comme pour lui-même :

— On approche... Je le sens... Mais ça va aller, ne t'inquiète pas pour moi...

Sarkor prit une grande inspiration et repartit d'un bon rythme. Toutefois, au détour d'un virage, la galerie s'arrêta net sur un énorme rocher.

— Un cul-de-sac! s'écria Darkhan, déçu.

Sarkor lâcha un juron de surprise, mais refusant de se fier à ses yeux, il s'approcha de la roche, les paumes tendues en avant. Ses mains sondèrent méthodiquement la roche froide et humide dans l'espoir de trouver un signe, un indice, une faille, un bouton invisible.

Tout à coup, l'index de Sarkor trouva la trace qu'il cherchait.

Il appuya lentement sur le granit et un mécanisme fit glisser la paroi rocheuse dans un raclement de pierre.

Les deux hommes se retrouvèrent à l'entrée d'une salle... face à quatre guerrières ébahies. Cimeterres au poing, elles s'attendaient à voir surgir des elfes dorés, mais pas deux des leurs!

— Qu'est-ce que vous fabriquez là? hoqueta la première en baissant son arme.

— Et d'où venez-vous? grogna une autre, plus âgée.

— Ouais... Vous n'avez rien à faire là! ajouta la brune.

— Ça tombe bien, les prisons sont juste à côté... ironisa la dernière.

Aucune ne vit s'envoler les sabres de Darkhan. Deux têtes roulèrent sur le sol au moment où l'épée de Sarkor transperçait la cuirasse des deux autres.

Moins de dix secondes suffirent aux deux guerriers pour se débarrasser des sentinelles.

— Apparemment, nous sommes tombés au bon endroit... murmura Darkhan en essuyant son arme, sans l'ombre d'un remords. Allons faire un tour du côté des geôles!

Se tenant fiers et droits, tête haute, comme des gardes drows, les deux elfes se dirigèrent sans hésiter vers les cachots. Sarkor frissonna en reconnaissant ces sinistres couloirs, antichambres de la torture et de la mort.

Un troll en faction gardait l'entrée des prisons.

Les deux hommes s'approchèrent, arborant un air hautain. L'autre ne se méfia pas.

— On vient chercher l'elfe sylvestre... tenta Darkhan, tout en avisant les clés suspendues à la ceinture du gardien. Il est toujours là?

— Ouaip... grogna le gardien. Dans les cellules sécurisées, on sait jamais...

— Bien sûr, on n'est jamais trop prudent! approuva Sarkor pendant que Darkhan plantait son sabre entre les yeux trop écartés du troll.

Un rictus de douleur s'afficha sur la face grossière du géant, qui s'écroula lourdement. Sarkor s'empara du trousseau et s'empressa d'essayer les lourdes clés dans la grosse serrure rouillée. La troisième fut la bonne.

Darkhan se précipita à l'intérieur et s'arrêta net, saisi par l'insoutenable odeur de mort qui régnait en ces lieux. Des cris, des gémissements, de longues plaintes insupportables semblaient émaner de partout – des portes solidement verrouillées, des murs épais et suintants, des dalles tachées de sang –, comme autant d'indices de la folie dans laquelle avaient sombré les prisonniers à force de souffrance...

— Le quartier sécurisé, c'est tout droit! indiqua Sarkor en entraînant son fils. Puis à gauche... Ne traînons pas!

Les deux elfes se trouvèrent bientôt devant une porte blindée qu'une autre clé fit grincer désagréablement.

Là, l'univers carcéral des drows atteignait son apogée.

Pour lutter contre les pouvoirs magiques des créatures incarcérées, on les avait enfermées entre des murs de verre épais de plusieurs centimètres. Chaque prisonnier était allongé à même le sol, pieds et mains entravés par de lourdes chaînes noires. Un bandeau sur les yeux, un collier serré autour du cou, à moitié nus, ils gisaient dans leurs propres déjections.

Cette fois, ce fut au tour de Darkhan de blêmir.

Alors qu'il observait les corps dans l'espoir d'apercevoir celui du vieil ermite, il sentit ses jambes se dérober sous lui. Sarkor le soutint avec fermeté.

— La plupart sont morts depuis long-temps... précisa-t-il comme pour aider son fils à surmonter cette épreuve. Concentre-toi sur ce que nous sommes venus cherch... Par tous les dieux! s'écria-t-il soudain, figé devant une cellule. Regarde!

Le prisonnier semblait extrêmement jeune. Ses boucles blondes et sa peau dorée ne laissaient aucun doute sur sa race...

— Un elfe doré! murmura Darkhan. Nous devons le libérer!

Sarkor acquiesça et, sous les yeux effarés de son fils, traversa l'épaisse paroi de sécurité. Jamais Darkhan ne l'avait vu accomplir ce genre de prodige. Sarkor s'était toujours montré très discret quant à ses talents de sorcier. Le seul qu'il utilisait sans retenue à Laltharils était celui de guérisseur. Mais être le fils de Matrone Zesstra offrait apparemment certains autres avantages très intéressants...

Avec des gestes rapides et efficaces, il fit sauter colliers, chaînes et menottes, puis ôta le bandeau du malheureux.

— Kendhal? s'écria-t-il, abasourdi. Ça alors!

Puis, se tournant vers Darkhan :

— C'est le jeune fils d'Hysparion... Il semble très affaibli, mais il est en vie!

— C'est... c'est incroyable! balbutia Darkhan. Que fait-il là? Il ne devrait pas être à Laltharils, en sécurité... avec Luna?

— Dès qu'il ira un peu mieux, il nous révélera ce qui s'est passé... Pendant que je lui administre les premiers soins, continue à chercher ton Marécageux.

Darkhan obéit sans attendre, conscient qu'il n'y avait pas de temps à perdre. Il erra de longues minutes dans les couloirs, longeant de nombreuses cellules vides. Tout à coup, il reconnut un corps verdâtre...

Il était décharné, couvert d'ecchymoses, rongé par la vermine.

Mais il se soulevait régulièrement au rythme d'une respiration lente et pénible.

— Père! s'écria-t-il. Par ici!

Sarkor accourut aussitôt. Il souriait.

— Kendhal est hors de danger. Il est encore très faible, mais il est jeune et se remettra vite, précisa-t-il avant de traverser la cloison de verre pour délivrer le Marécageux.

Darkhan le regarda répéter les mêmes opérations que pour le jeune Kendhal. Puis pendant que son père prodiguait des soins curatifs au vieil elfe, le guerrier en profita pour jeter un œil aux autres cellules. Il était parfaitement conscient que la majorité des prisonniers avaient rendu l'âme, mais son instinct le poussait à chercher des survivants...

C'est alors qu'un de ces corps attira son attention.

Un corps de femme.

Il s'agissait d'une drow à l'épaisse chevelure d'ébène. Gisant sur le ventre, elle portait une légère robe de gaze et ses courbes sensuelles lui semblaient étrangement familières. L'image d'Oloraé flotta une seconde dans son esprit.

— Père! Par ici...

Lorsque Sarkor arriva, Darkhan avait le nez collé à la vitre, comme hypnotisé.

— Mais... mais c'est une drow! fit Sarkor, presque indigné. Tu ne veux quand même pas que je délivre une...

— Si, père, fais-le! insista Darkhan, le regard suppliant. Si on l'a enfermée ici, c'est pour une bonne raison... je veux savoir laquelle!

Sarkor maugréa. Apparemment, cette idée ne lui plaisait guère, mais pour son fils, il accepta de franchir la paroi de verre. À sa grande surprise, la jeune femme ouvrit les yeux dès qu'il lui ôta son bandeau. Des yeux en amande, d'un rouge doux presque rose, pétillants d'intelligence et totalement dénués de malice. Des yeux qui souriaient de reconnaissance.

Sarkor libéra la prisonnière de ses entraves, puis il l'aida à se relever. Celle-ci étouffa un cri de douleur lorsque le guerrier frôla son bras gauche emmailloté dans un pansement rougi.

— Désolé! s'excusa immédiatement Sarkor. Vous souffrez?

— Une mauvaise fracture... souffla la jeune drow. Je crois que l'os s'est mal ressoudé, mais... ça va aller! Merci de m'avoir libérée. Merci beaucoup.

De l'autre côté de la vitre, Darkhan était livide.

— Oloraé? C'est... c'est toi? suffoqua-t-il, en écarquillant les yeux.

La jeune fille rougit légèrement.

— Non... je suis sa sœur cadette, fit-elle d'une voix étrangement calme. Je... je m'appelle Assyléa. Mais moi... je te connais... Tu es Darkhan, n'est-ce pas? Et vous, c'est Sarkor, non? Vous vous ressemblez tellement... ajouta-t-elle en souriant.

— En effet, mais comment?

— Oh, c'est une longue histoire... soupira Assyléa en levant les yeux au ciel. Et je doute que vous l'apprécierez.

— Raconte-la tout de même! exigea Sarkor.

— Eh bien...

— Père! Elle est épuisée... protesta Darkhan. Laissons-lui le temps de...

— Non... le coupa Assyléa. Il est temps que je libère ma conscience... Ce que j'ai fait me ronge depuis des semaines comme le pire des acides! Alors, je vais tout vous révéler et après... si vous voulez me tuer, vous serez en droit de le faire.

La jeune drow reprit son souffle et se lança :

— Par un odieux chantage, Matrone Zesstra m'a forcée à commettre la pire des trahisons. Elle voulait que je lui ramène votre fille, Luna, en échange de la libération de dix jeunes novices...

— Hein? sursauta Darkhan. Luna n'est pas ma...

— Oui... je sais. Enfin, je l'ai appris plus tard, à mes dépens... Lorsque la grande prêtresse l'a découvert, elle est entrée dans une rage folle. C'est alors qu'elle m'a fait emprisonner. Mais (sa voix se brisa) j'ignore ce qu'elle a fait de... de Luna. Je suis tellement désolée.

— Quoi? s'écrièrent ensemble Sarkor et Darkhan.

— Luna est à Rhasgarrok, entre les mains de ma mère? gronda Sarkor en se crispant.

Mais avant qu'Assyléa, mortifiée, ne puisse ajouter quoi que ce soit, Kendhal, qui arrivait en titubant, l'apostropha en pointant vers elle un doigt menaçant :

— Tu n'es qu'une sale traîtresse! C'est *toi* qui as piégé Halfar pour pouvoir enlever Luna, n'est-ce pas? Et c'est à cause de toi que nous avons tous les deux quitté Laltharils pour partir à sa recherche...

— Comment? l'interrompit Sarkor d'une voix blanche. Halfar est à Rhasgarrok?

— Nous avons fait un bout de chemin ensemble... expliqua Kendhal. Mais à Dernière Chance, nos routes se sont séparées : j'ai été piégé, capturé, enfermé et enfin vendu comme esclave. J'ignore ce que votre fils est devenu...

Sarkor sentit son cœur exploser de chagrin. Il manqua de défaillir.

— Tu ne mérites pas de vivre! cracha alors Kendhal à Assyléa, en se jetant vers elle pour l'étrangler de ses propres mains.

Darkhan, vif comme l'éclair, s'interposa, le maîtrisant sans difficulté.

Toutefois, Sarkor dégaina son épée et la brandit en direction de la jeune fille.

— Si ce que Kendhal a dit est vrai, tu ne mérites pas de vivre, en effet!

Cependant, avant qu'il ne porte le coup fatidique, une voix dans leur dos les figea tous :

— Lâche ton arme! s'écria le Marécageux, furieux, tout en claudiquant péniblement vers eux. Personne ne va tuer personne! Si cette jeune personne a piégé Luna, elle est également la seule à pouvoir nous aider à la retrouver. Alors, mettez votre haine de côté et suivons-la!

Assyléa en resta bouche bée.

— Co... comment savez-vous que je dois vous emmener à la...

— Je le sais, Assyléa, je le sais... c'est tout! répondit l'elfe sylvestre, plein de mystère.

— Où devez-vous nous conduire? s'enquit Darkhan en lâchant Kendhal, qui avait cessé de se débattre depuis l'intervention du Maréca-geux.

— Eh bien... commença Assyléa, pendant ma détention, j'ai déconnecté mon esprit en priant avec ferveur. J'ai supplié Eilistraée de me sortir de là... Or, juste avant que vous arriviez, la déesse m'est apparue en songe. Elle m'a dit qu'on allait venir me libérer et que je devrais immédiatement vous conduire à sa chapelle.

— Où est-elle? demanda Darkhan, en entourant les frêles épaules de la drow d'un bras protecteur.

— Heu... pas loin... murmura Assyléa, troublée par ce geste affectueux. En fait, cet étage était le sien avant que Lloth impose sa suprématie. Et ces geôles étaient les quartiers réservés à ses clercs...

— Mais pourquoi la chapelle?

— Je l'ignore... mais faisons confiance à la déesse!

La petite troupe se dirigea alors vers la cha-pelle abandonnée d'Eilistraée.

Darkhan et Assyléa en tête.

Sarkor soutenant Kendhal.

Et le Marécageux fermant la marche, un sourire énigmatique sur les lèvres.

20

Luna sentit la griffe d'acier transpercer sa peau.

Le sang chaud coula le long de son cou offert.

L'adolescente aurait voulu crier, se débattre, hurler, mordre, lutter contre la mort qui s'insinuait inéluctablement en elle. Mais l'emprise mentale de Lloth était trop puissante. L'esprit déconnecté de Luna refusait d'obéir. Elle ne pouvait que subir et souffrir, prisonnière des pattes velues de la déesse Araignée.

— Regarde, Abzagal! s'écria Lloth, victorieuse. Regarde comme sa vie ne tient qu'à un fil. Les mortels sont vraiment pitoyables...

— Pourtant, nous ne serions rien sans eux... car c'est de leurs croyances et de leur ferveur que nous tirons notre puissance! rétorqua le Dragon en serrant les dents.

— Ne dis pas de bêtises! pouffa l'Araignée en retenant ses pulsions meurtrières. Tous les dieux méprisent les mortels. Ces misérables créatures ne servent qu'à réaliser nos sombres desseins et à augmenter notre domination sur le monde, non? Ne fais pas semblant d'être indigné par mes propos... Toi qui as volé ma couronne pour devenir le roi des dieux! Derrière tes allures de dragon fringant, tu es le plus abject des monstres de vanité!

— Tu es vraiment folle à lier! cracha Abzagal en faisant un pas en direction de son ennemie. Sache que je n'ai jamais souhaité devenir roi de quoi que ce soit. Être le dieu unique des ava-riels me suffit largement. Jamais je ne trahirai leur confiance en m'appropriant les pouvoirs d'autres divinités. Si je voulais la couronne, c'était uniquement pour rendre les Joyaux aux dieux et déesses que tu as spoliés. Et c'est ce que j'ai fait!

— Tu mens! hurla Lloth en resserrant son étreinte mortelle. Sinon, pourquoi voudrais-tu également mon Joyau de l'Ombre, hein? Dis-le-moi!

— Pour te réduire au rang de divinité mineure! fit Abzagal sans cacher son mépris. Tu es un fléau pour les elfes. Et je ne parle pas uniquement de ceux qui vivent à la surface, mais également des drows que tu incites à la haine, à la violence et au meurtre. Ce n'est pas le rôle d'une déesse digne de ce nom! Si tu tiens à t'acharner sur cette gamine, fais comme bon te semble, après tout, tu n'es pas à une victime près... mais rien ne m'empêchera alors de dérober ta Pierre de Vie!

Le Dragon déployait ses immenses ailes, s'apprêtant à décoller dans un nuage de givre, quand une voix aiguë brisa net son élan :

— Au nom de la Règle, cessez immédiatement vos querelles ridicules!

L'Araignée et le Dragon se retournèrent d'un même élan vers la nouvelle venue.

La déesse ressemblait à une elfe de lune aux cheveux d'argent, gracieuse et filiforme. Sa longue robe blanche pailletée scintillait dans la lumière du jour. Elle se tenait au-dessus des deux divinités, flottant dans une bulle aux reflets irisés, comme une sphère minuscule. Autour d'elle tourbillonnaient les lucioles argentées qui avaient accompagné Luna lors de ses allées et venues dans les cieux de ce monde étrange.

— Eilistraée? faillit s'étrangler Lloth. Qui... qui t'a autorisée à...

— Et vous! la coupa la jeune déesse avec assurance. Qui vous a autorisé à enfreindre les principes de base de notre Règle? Lloth : on ne tue pas de mortel! Abzagal : il est interdit de quitter sa sphère!

— Mais je voulais... se défendit le Dragon.

— Même si tes raisons te semblaient louables, tu n'en avais pas le droit! décréta Eilistraée avec fermeté. La Règle est stricte : chacun chez soi! Je sais que tu t'es bien comporté en nous rendant nos Pierres de Vie et, personnellement, je t'en serai éternellement reconnaissante... mais cela ne te donne pas le droit de braver la Règle.

— Tu ne comprends rien! Si je suis venu, c'était uniquement pour...

— Tais-toi, Abzagal! le coupa Eilistraée. C'est à Lloth que je souhaite désormais m'adresser. Comme tu peux le voir, mère, j'ai récupéré ma perle et donc ma sphère. Bientôt, mes adeptes prieront mon nom avec une ferveur nouvelle et les bons drows se multiplieront, bravant les interdits que tu leur imposes. Ils fuiront la violence et la haine pour m'adorer, en secret d'abord, puis dans des temples qu'ils érigeront à ma gloire. Et tu ne pourras plus rien y faire! Mais en attendant, lâche cette innocente!

— Innocente! s'indigna Lloth. Cette gamine est une traîtresse, une voleuse, une petite peste sournoise et manipulatrice! Je la hais!

— Vraiment? Ce sont pourtant toutes les qualités que tu affectionnes! rétorqua Eilistraée avec un sourire ironique. Elle aurait sûrement fait une excellente clerc, mais tu vas hélas devoir t'en séparer. Donne-la-moi!

Sous le regard amusé d'Abzagal, Lloth laissa exploser sa fureur. Ses yeux avaient l'éclat de la lave en fusion.

— Jamais! Ma vengeance est légitime! La vie de Sylnodel m'appartient et je vais la saigner comme une truie!

Rapides comme l'éclair, les lucioles scintillantes fusèrent vers l'Araignée et, avant que celle-ci ait pu faire le moindre geste, elles pénétrèrent dans son corps arachnéen et neutralisèrent son esprit. L'intrusion des anges au cœur de son âme arracha à Lloth un cri de douleur déchirant. À la fois strident et intense, ce hurlement inhumain tira Luna de sa léthargie. Sentant que l'emprise de la prédatrice s'était complètement relâchée, elle s'empressa de se dégager de sa prison pour courir vers la jolie déesse.

En passant devant Abzagal, elle ne put s'empêcher de lui lancer un regard meurtrier.

— Oh, non, Sylnodel, ne me fais pas ces yeux-là! s'attrista le dieu Dragon, toujours par télépathie. Tu n'as quand même pas vraiment cru que j'allais la laisser te tuer?

— Lloth était *en train* de me tuer, ventre-dur, et vous n'avez pas levé le petit doigt pour me venir en aide! lui cracha Luna, en colère.

Lorsque je vous ai vu arriver avec vos ailes majestueuses, j'ai eu la naïveté de croire que c'était pour moi! Qu'assailli de remords, vous aviez volé à mon secours. Ce que j'ai pu être sotte, bigrevert! Vous n'êtes pas meilleur que Lloth, en fait. Tout ce qui vous motive, c'est la vengeance et le pouvoir. Abzagal *le Magnifique*, tu parles! ironisa-t-elle.

Le Dragon, interloqué, expira un nuage de givre.

— Tu n'as donc rien compris non plus! soupira-t-il. Tout cela n'était qu'une manipulation de plus... J'ai prétendu vouloir la Pierre de Vie de Lloth pour pouvoir t'obtenir TOI, en échange! J'étais effectivement venu te sauver, Sylnodel!

Luna le toisa, perplexe. Il semblait sincère, mais l'expérience lui avait appris à ne pas se fier aux dieux... L'adolescente poussa alors le Dragon dans ses derniers retranchements :

— Pourtant, vous avez dit à Lloth qu'elle pouvait s'acharner sur moi, qu'elle n'était pas à une victime près! Et vous avez refusé de partir, prétextant qu'elle me tuerait quand même! C'est ça que vous appelez *venir me sauver*?

— Ah, évidemment, vu sous cet angle... maugréa Abzagal en hérissant sa crinière blanche. Mais j'avais un plan, figure-toi, un excellent plan! Entre toi et sa Pierre, Lloth n'aurait pas hésité longtemps...

— Nom d'un marron, ouvrez les yeux! s'indigna Luna. Regardez ces affreuses marques sur mes épaules et la plaie à mon cou! Cette sorcière allait me trucider, cornedrouille!

— Peut-être... mais en échange de son Joyau de l'Ombre, Lloth t'aurait aussitôt ressuscitée! s'exclama Abzagal.

Cette fois, Luna resta muette de stupeur, ne trouvant pas les mots adéquats tant sa surprise était grande. Est-ce que le Dragon lui disait la vérité ou l'emberlificotait-il une fois de plus?

Ce fut Eilistraée, flottant dans sa bulle nimbée de lumière, qui prit la parole :

— En effet, Lloth aurait pu ressusciter Sylnodel, mais... au prix de quelles souffrances? C'est une épreuve terrible de revenir à la vie après avoir été sauvagement assassiné... Terrible et traumatisante. Tu sais comme moi, Abzagal, que cette jeune fille ne serait pas ressortie indemne de ce cauchemar et que l'empreinte maléfique de ma mère aurait marqué son âme à jamais. Tu sais également que, sans mon intervention, c'est ce qui serait arrivé!

— Bah... Tu as eu la chance de débarquer au bon moment, mais je pense que...

— Peu importe! le coupa Eilistraée. Sylnodel est une elfe de lune et en tant que dieu protecteur des elfes ailés, il était de ton *devoir* de la protéger! Honte à toi, Abzagal! Maintenant, Sylnodel, viens avec moi, entre dans ma bulle! ajouta la déesse en se tournant vers l'adolescente. Je t'emmène pendant que les anges s'occuperont de notre ami cracheur de glace... Je crois que ma mère a eu son compte et qu'elle n'est pas prête d'enfreindre de nouveau la Règle!

Luna jeta un œil à la déesse Araignée qui gisait, recroquevillée sur le sol. Ainsi prostrée et agonisante, elle avait perdu son air invincible. Elle ressemblait à n'importe quelle vulgaire arachnide, un peu plus grosse seulement et avec une armure...

Alors, l'adolescente courut vers Eilistraée, passa au travers du voile translucide et se jeta dans les bras grands ouverts de la déesse.

— Allons, ma jolie, fit celle-ci en déposant un doux baiser sur les cheveux soyeux de Luna. Je t'emmène là où les dieux ne jouent pas avec la vie des mortels! Je vais te soigner et te ramener auprès des tiens...

Abzagal regarda la sphère d'Eilistraée s'élever dans l'azur infini avec un pincement au cœur. Une larme de glace s'écrasa au sol, produisant une note d'une pureté sans pareille. Avant que les anges ne pénètrent dans son esprit, le Dragon eut le temps d'envoyer un dernier message mental à Luna. Rien qu'à elle.

— Je regrette, Sylnodel, que les choses se soient passées ainsi. Tu n'étais qu'une mortelle qui avait besoin d'aide... et j'ai vu en toi l'instrument de ma revanche... Désolé. Je sais reconnaître mes torts... difficilement, je l'avoue, mais là, je ne peux nier l'évidence : j'ai très mal agi... Par ailleurs, je sais également reconnaître la valeur des gens et tu es vraiment quelqu'un d'exceptionnel, Sylnodel. Ton honnêteté n'a d'égale que ta bravoure et je gage que nos routes se croiseront de nouveau... plus tôt que tu ne le penses. Cette fois, je tâcherai d'être à la hauteur, promis!

Luna serra les dents, faisant un effort surhumain pour ne pas se retourner. Elle ne voulait pas qu'Abzagal voie les deux sillons salés qui couraient sur ses joues. Elle ne voulait pas non plus assister à la punition que les anges allaient lui infliger. Malgré ses torts et ses défauts, Abzagal était sincère. Ses remords n'étaient pas feints. Au fond d'elle, Luna avait également la certitude qu'ils se reverraient un jour...

— Tu pleures? s'inquiéta Eilistraée. Attends, ne bouge pas, je vais te soigner.

Pendant que la bulle irisée continuait à glisser dans le firmament limpide, avec des gestes précis et une douceur infinie, la déesse apposa ses mains blanches sur les blessures de Luna. La plaie sanglante au cou ainsi que les profondes griffures s'effacèrent instantanément sans laisser l'ombre d'une cicatrice. Une vague de bien-être plongea Luna dans un état extatique.

— Ça va mieux? demanda la déesse.

Comme Luna approuvait en souriant, Eilistraée ajouta :

— Tu sais, Sylnodel, je t'admire beaucoup. On dit que ce qui ne tue pas rend plus fort. Or tu es déjà impressionnante de force, de courage et de détermination. C'est rare à ton âge... Grâce à toi, j'ai retrouvé ma sphère, enfin, je devrais plutôt dire *nous avons retrouvé nos sphères,* car tu as sauvé huit dieux de l'oubli éternel. Sache que peu de mortels peuvent se targuer d'un tel exploit!

— Je suis heureuse d'avoir pu vous aider... fit Luna en fixant le regard d'azur de la déesse. Vous savez, tout le monde ne vous a pas oubliée! Je connais plusieurs personnes qui croient très fort en vous...

— Ah oui? s'étonna Eilistraée. Et qui donc?

— Mon cousin Darkhan et son père Sarkor, ainsi que ma mère Ambrethil. En fait, les bons drows se cachent et vous prient en secret. Maintenant que vous avez récupéré votre perle, vous pourrez entrer en contact avec eux, j'en suis certaine. Ainsi, votre culte se réorganisera et sortira de l'ombre.

— Je l'espère sincèrement! s'enthousiasma la déesse. En attendant, en gage de remerciement, je vais t'offrir un petit souvenir. Ce n'est pas grand-chose au regard de l'immense service que tu m'as rendu, mais pour l'instant, je ne peux guère faire mieux. Je dois attendre que mes pouvoirs grandissent.

— Oh, mais je ne veux...

— Chut! J'y tiens! souffla Eilistraée en lui passant une chaîne autour du cou. Regarde, c'est une petite perle sculptée à mon effigie. Une *Perle de lune...* Il te suffira de la serrer au creux de ta main et de prier très fort pour entrer en contact avec moi. N'hésite pas, Sylnodel, je serai toujours heureuse de t'entendre et, si je peux, de t'aider.

Luna admira l'amulette qui lui en rappela une autre, en tout point semblable, que sa mère avait autrefois priée avec ferveur. Mais loin de la stase maudite, les ondes positives qui irradiaient du pendentif en faisaient un objet béni.

— Merci! Je le garderai toujours sur moi! fit Luna, éperdue de reconnaissance. Dites... j'ai une question à vous poser : Lloth et Abzagal m'avaient offert deux dons pour accomplir leurs missions. Vais-je les conserver... dans mon monde?

— Hélas non... seuls les artefacts magiques peuvent voyager d'un monde à l'autre. Les pouvoirs qu'ils t'ont octroyés disparaîtront. D'ailleurs, le contrecoup risque d'être éprouvant. Tu as l'impression qu'un ou deux jours seulement se sont écoulés, n'est-ce pas?

— Oui, plus ou moins, mais comme il n'y a pas de nuit ici, je ne sais pas trop...

— Eh bien, dans le Royaume des dieux, le temps n'est pas le même que chez toi. Les quelques heures que tu as passées ici représentent plusieurs semaines chez toi...

— Plusieurs semaines? s'écria Luna, incrédule.

— Oui, et toute la fatigue, la soif et la faim que tu n'as pas éprouvées ici vont te tomber dessus d'un coup à ton retour à Rhasgarrok. Tu auras bien besoin du réconfort des tiens...

— À Rhasgarrok? s'étrangla l'elfe. Mais... mais les miens sont à Laltharils... pas à...

— Ne t'inquiète pas, Sylnodel! la rassura Eilistraée en souriant. Je ne connais pas d'autre chemin que celui de la cité drow... mais tu seras surprise du nombre de personnes qui t'y attendent déjà...

— Comment cela? s'étonna l'adolescente en écarquillant les yeux.

— On dirait que tous ceux qui te sont chers se sont donné rendez-vous dans les profondeurs du Monastère... C'est une curieuse coïncidence, j'en conviens, mais tu dois vite aller les retrouver...

— Ça alors! Je me demande qui...

— Ah, nous y voilà, mon enfant, annonça Eilistraée en stabilisant sa sphère. Maintenant, tu vas fermer les yeux et compter jusqu'à cent. Lorsque tu les rouvriras, tu seras au cœur de mon ancienne chapelle, tout près de tes amis...

Luna obéit sans se poser de questions et commença à compter dans sa tête. Elle sentit la main de la déesse s'attarder sur sa joue, dans une ultime caresse, puis une force fulgurante s'empara de tout son corps. Elle eut l'impression d'être un éclair qui déchirait le ciel.

Lorsqu'elle rouvrit les yeux, Luna se trouvait allongée dans une pièce noyée dans les ténèbres. Ses yeux se réhabituèrent rapidement à l'obscurité et découvrirent des murs ornés de fresques abîmées par les siècles.

L'adolescente s'assit sur les dalles fissurées.

Eilistraée lui avait dit que ses amis l'attendaient, mais l'endroit était désert...

Soudain, un grognement sourd la fit sursauter.

Luna se figea, s'efforçant de garder son calme. La créature devait être tapie de l'autre côté de la pièce. Était-elle dangereuse? Allait-elle l'attaquer? Luna devrait-elle la tuer?

L'elfe surmonta son épuisement extrême et avança à quatre pattes. Elle distingua alors une forme grisâtre, étendue sur le sol.

Le grognement se mua alors en couinement étouffé.

Le cœur de Luna fit un bond dans sa poitrine.

— Elbion! Mon loup, mon frère! s'écria-t-elle, ivre de bonheur, en s'allongeant contre lui... Si tu savais comme je suis heureuse de te retrouver, cornedrouille! Tu m'as tellement manqué...

Tout en lui parlant, Luna le couvrait de baisers, caressait son pelage abîmé et taché. Remarquant les croûtes et les cicatrices, elle ne put s'empêcher de s'interroger :

— Sacrevert, dans quel état tu es... mon pauvre Elbion. Que t'est-il arrivé? Et que fais-tu ici, au cœur de Rhasgarrok? Tu devrais être à Laltharils, avec Kendhal...

Soudain, la porte de la chapelle s'ouvrit à la volée, inondant la chapelle de lumière.

Luna se recroquevilla contre son loup.

Elle reconnut d'abord le visage de cette jeune novice, Assyléa, et crut sa dernière heure arrivée. Mais en apercevant Darkhan, puis Sarkor et Kendhal, et enfin la fragile silhouette du Marécageux, Luna soupira de soulagement. Toutefois, elle ne put trouver la force de se relever et resta blottie contre son frère. Alors, Darkhan et Kendhal se précipitèrent vers elle. Les retrouvailles furent d'une rare intensité.

Puis Sarkor s'approcha à son tour de Luna. Les mains tendues en avant, irradiant d'une douce chaleur, il la fit bénéficier de ses talents de guérisseur pour qu'elle retrouve quelque énergie vitale. Alors, elle put se jeter dans les bras de son Marécageux – amaigri, faible et pâle, mais bien vivant –, pendant que son oncle s'occupait d'Elbion.

Seule Assyléa resta à l'écart, terriblement honteuse et mal à l'aise, rongée par le remords. Deux larmes brûlantes glissèrent sur ses joues anthracite, qu'elle s'empressa d'essuyer.

Ce geste n'échappa cependant pas à Darkhan.

— Allez, s'empressa-t-il de dire pour faire diversion. Nous ferions mieux de ne pas traîner trop longtemps par ici. Une patrouille pourrait bien arriver et découvrir les corps des sentinelles ainsi que votre évasion. Nous devons fuir au plus vi...

Darkhan se tut d'un coup, se rappelant soudain avec stupeur qu'il avait lui-même bouché le tunnel menant aux marais de Mornuyn.

— Tu te demandes par où sortir de là, n'est-ce pas? répliqua le vieil elfe sylvestre avec un sourire espiègle. Rassure-toi, mon jeune ami, je connais ces galeries par cœur. Je n'en étais pas le Gardien pour rien... Bientôt, nous serons dehors, sur la route de Laltharils.

— Tu nous accompagnes, cette fois? s'étonna Luna.

— Vu ce que les drows ont fait subir à mon île... oui, je devrai déménager. Mais avant, il faudra que je m'assure une bonne fois pour toutes que jamais plus les elfes noirs n'emprunteront ces passages. Allons, mes enfants, une longue route nous attend.

Mais Sarkor se crispa.

— J'ai bien peur que nos chemins se séparent ici...

— Hein? s'exclama Darkhan. Mais père, que signifie...

— Si Kendhal ne s'est pas trompé et qu'Halfar est quelque part dans cette cité, il est de mon devoir de le retrouver. Je vais en fouiller les moindres recoins, mais je n'abandonnerai pas! Même si cela doit me prendre des années... Je ne rentrerai pas à Laltharils sans mon fils cadet. J'en fais le serment!

— Alors je t'accompagne! rétorqua aussitôt Darkhan.

— Non, mon fils, je refuse! objecta Sarkor. Il y a quelques semaines, je ne me sentais pas la force de revenir à Rhasgarrok et c'est pour cette raison que je t'ai laissé partir à ma place détruire la stase. Mais aujourd'hui, j'y suis, et c'est mon rôle de partir à la recherche d'Halfar. Ta place est auprès de ta cousine et de ses amis. Tu dois les accompagner jusqu'à Laltharils et veiller à ce qu'il ne leur arrive rien.

Darkhan n'insista pas, mais ému aux larmes, serra son père contre lui et le regarda franchir le seuil de la chapelle abandonnée.

— Sarkor... Attends-moi! s'écria Luna en le rattrapant.

— Luna? Que se passe-t-il? s'étonna son oncle.

— Je...

— Oui, quoi?

Luna sentit alors son cœur se contracter. Elle aurait voulu que Sarkor la guide dans le Monastère pour retrouver Sylnor, sa sœur qu'elle avait tant espéré ramener à Laltharils. Mais les dernières paroles de Lloth lui revinrent avec la force d'une gifle : « Tu n'as pas encore compris que ta sœur te hait au plus profond de ses entrailles? Ta sœur est une drow, une vraie drow. Son cœur est gorgé de haine. Son âme est d'une noirceur absolue. Elle est faite pour la vengeance et le meurtre. »

— Non, rien... enfin, si, je voulais te souhaiter bonne chance. J'espère que tu vas vite retrouver Halfar et rentrer à Laltharils.

Luna venait de comprendre que jamais Sylnor ne rentrerait chez elle. Sa sœur avait délibérément choisi son camp. Inutile d'insister. C'était comme si Luna n'avait jamais eu de sœur. Voilà peut-être pourquoi Ambrethil ne lui en avait jamais parlé...

— Merci, Luna, fit Sarkor en se retournant. Rentre bien et salue ta mère et ton grand-père de ma part.

— Je n'y manquerai pas, cornedrouille! fit Luna d'une petite voix émue.

Alors Assyléa vint lui prendre la main.

— Je tenais à te présenter mes excuses... murmura-t-elle doucement. Je sais que je t'ai trahie, mais sache que mes remords sont sincères. J'ai toujours détesté cette ville maudite, tout comme je hais Matrone Zesstra et son horrible Lloth. J'aimerais vivre loin d'ici... à la surface... et honorer Eilistraée en lui rendant le culte qu'elle mérite. Est-ce que... je peux vous accompagner?

Un sourire fatigué s'afficha sur le visage pâle de Luna.

— Je sais que cette sorcière t'a obligée à me piéger et que tu n'avais pas le choix. Je te pardonne, Assyléa, et j'ai confiance en toi. Laltharils sera heureuse de t'accueillir comme elle a accueilli Sarkor il y a bien longtemps.

Luna venait de perdre sa sœur, mais de gagner une amie.

Le Marécageux fit signe à la petite troupe qu'il était temps de se mettre en route et s'empressa de s'enfoncer dans les dédales sans fin qu'il connaissait sur le bout des doigts.

Tout en marchant, Luna commença à raconter à ses amis l'incroyable aventure qu'elle avait vécue au Royaume des dieux. Son récit les occuperait une bonne partie du trajet...

Derrière eux, Elbion, revigoré par les sorts curatifs de Sarkor, fermait la marche en trottinant, heureux d'avoir retrouvé sa petite elfe argentée.

ÉPILOGUE

La chambre de Matrone Zesstra était plongée dans un profond silence. Partout, des araignées sculptées ou peintes semblaient veiller sur la maîtresse des lieux. La nuit était déjà bien entamée.

Soudain, la matriarche hurla dans son sommeil.

Un hurlement de douleur, de frayeur.

Un hurlement désespéré.

Elle venait de comprendre que sa vie ne serait plus jamais la même.

Le lien indéfectible qui l'unissait à Lloth venait de céder. Comme un élastique trop tendu, le fil mental qui reliait la déesse et la grande prêtresse s'était rompu, laissant l'elfe noire pantoise, épuisée, anéantie.

Mais pourquoi Lloth l'avait-elle ainsi abandonnée?

Que s'était-il passé au Royaume des dieux?

La déesse s'était-elle sentie offensée que Matrone Zesstra ne lui offre pas tout de suite ce jeune elfe de soleil? Pourtant, la cérémonie prévue dans deux jours serait véritablement exceptionnelle : une elfe noire, un elfe doré et un elfe sylvestre!

Un triple sacrifice!

Renonçant à comprendre, la femme tenta de se redresser sur son lit, mais elle n'avait plus de force. Ses yeux s'agrandirent d'effroi en constatant ses mains décharnées et pleines de taches marron, ses bras squelettiques à la peau distendue.

— Sylnor! Sylnor! cria-t-elle, affolée, d'une voix qu'elle eut peine à reconnaître tant elle était ténue et chevrotante.

Pourtant, la jeune drow jaillit aussitôt de derrière la lourde tenture où elle dormait. Depuis qu'elle était miraculeusement revenue du Royaume de Lloth, Sylnor était – selon les ordres de la déesse – devenue la suivante attitrée de la grande prêtresse.

— Apporte-moi un miroir! ordonna Matrone Zesstra en gesticulant comme une folle.

Sylnor s'empressa d'obéir, courant vers la console. Pourtant, en présentant l'objet à sa maîtresse, la gamine se figea, horrifiée.

— Eh bien! Qu'as-tu à me dévisager ainsi, sale petite insolente? Donne-moi ça! fit-elle en lui arrachant le miroir des mains.

Mais ce qu'elle vit l'acheva.

De son beau visage d'antan ne restait plus qu'une peau fripée comme un vieux parchemin. Son tatouage arachnéen se perdait dans les replis ridés. Ses lèvres exsangues s'étiraient dans une affligeante grimace. Ses paupières lourdes s'affaissaient sur ses yeux larmoyants. Quant à sa longue et soyeuse chevelure d'argent, elle tombait en lambeaux telle une vieille perruque mitée.

La matriarche poussa un gémissement de désespoir.

La magie de Lloth avait cessé d'agir et Matrone Zesstra reprenait son apparence normale... Depuis toutes ces années, elle avait oublié à quel point elle était vieille et repoussante!

— Sylnor... aboya-t-elle en tremblant. Cours chercher la pre... première prêtresse, ma... ma fille Ze... Zélathory! Elle sau... saura quoi fai... faire.

Pendant que Sylnor s'exécutait, Matrone Zesstra ferma les yeux, désespérée. Elle s'exprimait à présent comme une vieillarde sénile!

Sa poitrine se comprima et la matriarche réprima un sanglot humide.

À peine cinq minutes plus tard, Zélathory fit irruption dans la chambre de sa génitrice. Elle portait une robe vaporeuse sur laquelle elle avait jeté à la hâte un châle de soie carmin.

— Eh bien, mère... Vous avez pris un sérieux coup de vieux! ricana-t-elle méchamment, tout en s'approchant du lit.

— Ne te mo... moque pas! balbutia Matrone Zesstra, blême de rage. Stu... stupide inca... incapable! Ai... aide-moi!

Mais Zélathory souriait.

Une lueur de haine pure dansait dans ses rouges prunelles.

Le moment tant attendu se présentait enfin!

Lloth avait entendu ses suppliques et délaissé sa protégée.

Sa vieille peau de mère se tenait là, devant elle, aussi impuissante et vagissante qu'un nouveau-né. Quel spectacle pathétique... mais tellement savoureux!

Zélathory se retourna vers Sylnor.

— Approche, petite, et contemple la déchéance de celle qui n'a pas su combler la déesse. Ma mère a trop longtemps bénéficié des faveurs de Lloth, mais elle ne s'en est pas montrée digne! Elle s'était un peu... ramollie, ces derniers temps. Il devenait urgent qu'elle prenne sa retraite, non?

— Ne... ne raconte pas de... de...

— Tais-toi! hurla alors la première prêtresse à l'adresse de sa mère. Tu croyais vraiment que j'allais te vénérer et t'obéir jusque sur ton lit de mort? Es-tu naïve ou encore plus sénile que je ne le croyais? Le temps de la vérité est enfin arrivé. Je ne te l'ai jamais dit, mais je te déteste, je te hais, je te maudis du plus profond de mon âme. Toute ma vie, j'ai supporté tes brimades, tes sarcasmes, tes humiliations, tes tortures aussi, me pliant à tes moindres désirs sans jamais proférer un seul mot de travers. Mais tout ce que tu es me révulse, me donne la nausée, me remplit d'une aversion viscérale. Et seul le meurtre pourra me délivrer...

— Noooon! gémit la vieille femme. Syl... Sylnor! À moi!

Mais déjà, Zélathory levait un bras meurtrier au-dessus de sa mère.

Dans sa main brillait une lame d'obsidienne ornée de rubis.

— Sylnor! aboya Zélathory, en retenant son geste. Il est temps de choisir ton camp. Seras-tu fidèle à ma mère ou préfères-tu entrer à mon service?

L'adolescente, jusque-là impassible, adressa un large sourire à la jeune drow.

— Vous pouvez compter sur mon soutien! déclara Sylnor sans l'ombre d'une hésitation.

Alors Matrone Zesstra capitula, offrant son cou à la mort.

Les paroles de la prophétie lui revinrent en mémoire comme une lointaine litanie :

De survivre, ce sera ton unique chance,
Sinon, par le poignard tu périras...

Elle comprit que rien ne s'était déroulé comme prévu.

La déesse Araignée ne serait pas la reine des dieux.

Matrone Zesstra ne deviendrait jamais immortelle.

La lame s'abattit, précise et fatale.

En plein cœur.

Matrone Zesstra mourut sur le coup.

Matrone Zélathory venait de prendre sa place.

Et elle réussirait là où sa défunte mère avait lamentablement échoué.

Grâce à elle, les drows deviendraient *enfin* la race la plus puissante des terres du Nord!

LISTE DES PERSONNAGES

Abzagal : Divinité majeure des avariels; dieu Dragon.

Amaélys : Elfe de lune; mère de Darkhan, sœur d'Ambrethil et fille aînée d'Hérildur.

Ambrethil : Elfe de lune; mère de Luna et fille cadette d'Hérildur.

Assyléa : Drow; sœur cadette d'Oloraé.

Aymar : Humain; vendeur d'esclaves de Rhasgarrok.

Coriandre : Jument de Kendhal.

Darkhan : Mi-elfe de lune, mi-drow; fils de Sarkor et petit-fils d'Hérildur, cousin de Luna.

Edryss : Drow; patronne de l'auberge du Soleil Noir.

Eilistraée : Divinité du panthéon drow; fille de Lloth. Solitaire et bienveillante, elle est la déesse de la beauté, de la musique, du chant. Associée à la Lune, elle symbolise l'harmonie entre les races.

Elbion : Loup; frère de lait de Luna.

Elkantar And'Thriel : Drow; noble sorcier, amant d'Ambrethil et père de Luna.

Fritzz Vo'Arden : Drow, dernier fils de Matrone Zesstra.

Guizmo : Gobelin; aubergiste de Dernière Chance.

Halfar : Mi-elfe de lune, mi-drow; fils de Sarkor et petit-fils d'Hérildur, cousin de Luna.

Hérildur : Elfe de lune; roi de Laltharils, père d'Ambrethil et grand-père de Luna.

Hysparion : Elfe de soleil; Grand Mage de la Cour d'Aman'Thyr et père de Kendhal.

Isadora : Drow; propriétaire d'une arène de combat pour jeunes.

Jaspe : Étalon d'Halfar.

Kendhal : Elfe de soleil; fils d'Hysparion.

Koréthryl : Elfe de soleil; roi d'Aman'Thyr.

Lloth : Divinité majeure des drows; déesse Araignée.

Luna (Sylnodel) : Mi-elfe de lune, mi-drow; fille d'Ambrethil et d'Elkantar And'Thriel.

Lytarell : Elfe de lune; gouvernante d'Ambrethil.

Maison Vo'Arden : Famille de Matrone Zesstra.

Marécageux (Le) : Elfe sylvestre; vieux mentor de Luna, frère de Viurna.

Norilyan : Elfe de lune; général de l'armée d'Hérildur.

Oloraé : Drow; sœur aînée d'Assyléa.

Sarkor : Drow; père de Darkhan et d'Halfar.

Sylnodel : Signifie Luna; « Perle de Lune » en elfique, voir Luna.

Sylnor : Mi-elfe de lune, mi-drow; fille cadette d'Ambrethil et d'Elkantar And'Thriel, sœur de Luna.

Truylgor Mac'Kaloug : Drow; nouvel Invocateur de Matrone Zesstra.

Zélathory Vo'Arden : Drow; première prêtresse de Lloth, fille de Matrone Zesstra.

Zesstra Vo'Arden (Matrone Zesstra) : Drow; grande prêtresse de Lloth, mère de Zélathory.

GLOSSAIRE

Anges : Entités lumineuses et scintillantes de couleur argentée qui surveillent le ciel éternel du Royaume des dieux. Les anges sont chargés de faire appliquer les Lois immuables qui régissent le monde des dieux et de punir les infractions, le cas échéant. Lorsque les dieux invitent des mortels, les anges sont également appelés à veiller sur eux.
Avariels : Voir elfes ailés.

Dieux / déesses : Êtres immortels, les dieux vivent dans des sphères, sortes de bulles flottant dans le firmament éternellement bleu de leur monde. D'apparence humanoïde ou animale, les dieux influencent le destin des mortels en leur dictant leur conduite, en les aidant ou, au contraire, en les punissant. Plus son nombre de fidèles est important, plus la divinité acquiert d'importance et de pouvoir parmi les autres dieux. Ceux dont le culte s'amenuise sont relégués au rang de divinités inférieures et finissent par disparaître complètement si plus aucun adepte ne les vénère.
Drows : Voir elfes noirs.

Elfes : Les elfes sont légèrement plus petits et plus minces que les humains. On les reconnaît facilement grâce à leurs oreilles pointues et à leur remarquable beauté. Doués d'une grande intelligence, ils possèdent tous des aptitudes naturelles pour la magie, ce qui ne les empêche pas de manier l'arc et l'épée avec une dextérité incroyable. Comme tous les êtres nyctalopes, ils sont également capables de voir dans le noir. Leur endurance, leurs capacités physiques sont indéniablement supérieures à celles des autres races. À cause des sanglantes guerres fratricides qui les opposèrent autrefois, les elfes vivent désormais en communautés assez fermées. On distingue les elfes de la surface des elfes noirs, exilés dans leur cité souterraine.

Elfes ailés (ou elfes avariels) : C'est certainement la race la plus secrète et discrète des terres du Nord. Les avariels vivent cachés au cœur d'une citadelle de verre édifiée dans la cordillère de Glace. Ils possèdent de grandes ailes aux plumes très douces, qui leur permettent d'évoluer dans les cieux avec une grâce et une rapidité incomparables.

Elfes de lune (ou elfes argentés) : Ils ont la peau très claire, presque bleutée; leurs cheveux sont en général blanc argenté, blond très clair ou même bleus. Dans les terres du

Nord, les elfes de lune vivent à Laltharils, magnifique cité bâtie au cœur de la forêt de Ravenstein.

Elfes de soleil (ou elfes dorés) : Ils ont une peau couleur bronze et des cheveux généralement blonds comme l'or ou plutôt cuivrés. On dit que ce sont les plus beaux et les plus fiers de tous les elfes. De ce fait, ils se mélangent très peu avec les autres races. Dès le début de la guerre contre les drows, les elfes de soleil se sont réfugiés dans l'antique forteresse d'Aman'Thyr, où ils passent désormais le plus clair de leur temps à méditer et à étudier la magie.

Elfes noirs (ou drows) : Ils ont la peau noire comme de l'obsidienne et les cheveux blanc argenté ou noirs. Leurs yeux parfois rouges en font des êtres particulièrement inquiétants. Souvent malfaisants, cruels et sadiques, ils sont assoiffés de pouvoir et sont sans cesse occupés à se méfier de leurs semblables et à ourdir des complots. En fait, les elfes noirs se considèrent comme les héritiers légitimes des terres du Nord et ne supportent pas leur injuste exil dans les profondeurs de Rhasgarrok. Ils haïssent les autres races, et ceux qu'ils ne combattent pas ne sont tolérés que par nécessité, pour le commerce et la signature d'alliances militaires temporaires.

Les drows vénèrent Lloth, la maléfique déesse Araignée, et leur grande prêtresse, Matrone Zesstra, dirige d'une main de fer cette société matriarcale.

Elfes sylvestres : Avec leur peau cuivrée et leurs yeux verts, ce sont les seuls elfes à vivre en totale harmonie avec la nature. Premières victimes des invasions drows, il n'en reste que très peu. La plupart vivent désormais à Laltharils, mais certains ont préféré l'exil et vivent en ermites, comme le Marécageux.

Gobelins : Humanoïdes petits et chétifs, ils ont des membres grêles, une poitrine large, un cou épais et des oreilles en pointe. Êtres chaotiques par excellence, leurs relations sont basées sur la loi du plus fort. L'unique communauté des terres du Nord s'est installée à Dernière Chance et, bien que les gobelins évitent en général les humains et les elfes, ils acceptent néanmoins de les héberger pour mieux les arnaquer. On les dit volontiers à la solde des drows.

Humains : Bien que ce soit la race la plus répandue dans le reste du monde, les humains des terres du Nord sont très peu nombreux. Ils vivent essentiellement de pêche et d'agriculture dans les villes portuaires de Belle-Côte et d'Anse-Grave. Après les guerres elfiques, les sorciers humains ont érigé trois édifices appelés tours de Vigie, afin de détecter et de foudroyer sur-le-champ tous les drows qui tenteraient d'envahir leur territoire.

Maison : Nom donné aux grandes familles drows de Rhasgarrok. Comme il s'agit d'une société matriarcale, c'est toujours la femme la plus ancienne ou la plus puissante qui se trouve à la tête de cette maison.

Mages : Ce sont de très puissants magiciens elfes dorés qui vivent à Aman'Thyr. D'une grande sagesse et d'une érudition remarquable, ils sont au nombre de vingt et entourent le roi en lui prodiguant leurs conseils avisés. En réunissant leurs forces magiques, ils sont capables d'accomplir d'incroyables exploits.

Pégases : Ce sont des chevaux ailés. À l'état sauvage, ils vivent en troupeaux, mais certains, domestiqués par l'homme, font d'ex-cellentes montures. Leurs cousins, les pégases noirs, ont un tempérament fougueux qui en fait des animaux peu sociables et très difficiles à dresser. Ils sont pourtant les montures de prédilection des elfes noirs.

Sages : Le Conseil des Sages, composé de nobles et de puissants magiciens elfes de lune réputés pour leur sagesse et leur expérience, conseille le roi de Laltharils.

Stase : Objet ensorcelé qui contient l'âme démoniaque d'un Nephilim.

Trolls : Les trolls sont des humanoïdes de grande taille, puissants, laids et particulièrement stupides. Ils vivent essentiellement dans des cavernes, où ils amassent des trésors, tuent pour le plaisir et chassent toutes les proies qui leur semblent comestibles. Certains se sont réfugiés dans les faubourgs de Rhasgarrok, où ils cohabitent plus ou moins bien avec les drows.

Urbams : Ces créatures monstrueuses sont le fruit d'expériences ratées de sorciers drows. Croisement contre nature entre gobelins et elfes noirs, ces êtres difformes ont la peau noire recouverte de verrues et de pustules suintantes. Entièrement dévoués à leur maître ou maîtresse, ils servent en général d'esclaves, de gladiateurs ou de chair à canon. Ils sont tous d'une sauvagerie sans pareille et on les dit volontiers cannibales.

TABLE DES MATIÈRES

Luna

LA CITÉ MAUDITE
TOME 1

Luna

LA VENGEANCE DES ELFES NOIRS
TOME 2